Het nulnummer

Umberto Eco

Het nulnummer

Vertaald door Yond Boeke en Patty Krone

2015 Prometheus Amsterdam

Voor Anita

De vertalers ontvingen voor deze vertaling een werkbeurs van het Nederlands Letterenfonds.

Oorspronkelijke titel *Numero zero*

Omslagontwerp Roald Triebels
Foto omslag Paul Gooney/Arcangel Images
Foto auteur Leonardo Cendamo
www.uitgeverijprometheus.nl
ISBN 978 90 446 2835 7

'Only connect!'

– E.M. Forster

1

Zaterdag 6 juni 1992, 8 uur

Vanochtend kwam er geen water uit de kraan.

Blup blup, twee babyboertjes, en daarna niets meer.

Ik klopte aan bij de buurvrouw: bij hen was er niets aan de hand. U hebt waarschijnlijk de hoofdkraan dichtgedraaid, zei ze. Ik? Ik weet niet eens waar die zit. Ik woon hier nog maar net, zoals u weet, en ben alleen 's avonds thuis. Jeetje, en als u een week weggaat, sluit u het water en het gas dan niet af? Ik niet. Behoorlijk onvoorzichtig. Als u me even binnenlaat, laat ik u zien waar het zit.

Ze opende het gootsteenkastje, draaide ergens aan en er was weer water. Ziet u wel? U had hem dichtgedraaid. Sorry, ik ben er niet echt bij met mijn hoofd. Ach, jullie singles ook altijd! Exit de buurvrouw, die nu ook al Engels praat.

Kalm blijven. Klopgeesten bestaan alleen in films. En ik ben ook geen slaapwandelaar, en al hád ik geslaapwandeld, dan nog had ik niet van het bestaan van de hoofdkraan geweten, anders had ik het water wel afgesloten toen ik wakker was, want de douche lekt en ik dreig altijd slapeloze nachten te hebben omdat ik de hele tijd iets hoor druppelen, waardoor het hier wel Valldemossa lijkt. Het gebeurt dan ook vaak dat ik halverwege de nacht opsta om de badkamerdeur en de deur tussen de slaapkamer en de hal dicht te doen om dat verdomde gedrup niet te hoeven horen.

Het kan geen aan- en uitknop of iets dergelijks zijn geweest (de hoofdkraan is, zoals het woord al zegt, een kraan en geen schakelaar) en ook geen muis, want ook al was die daar in de buurt geweest, dan nog had hij de kracht niet gehad om dat ding in beweging te krijgen. Het is namelijk zo'n ouderwets ijzeren geval (alles in dit appartement dateert op zijn minst van vijftig jaar geleden), en bovendien is het ook nog eens verroest. Er moet dus een hand aan te pas zijn gekomen. Een mensenhand. En ik heb geen schoorsteen waar de grote aap uit de Rue Morgue zich door naar beneden kan laten zakken.

Goed nadenken. Elk gevolg heeft zijn oorzaak, dat zeggen ze tenminste. Laten we ervan uitgaan dat het geen wonder is, want ik zie niet in waarom God zich om mijn douche zou moeten bekommeren, het is per slot de Rode Zee niet. Dus, logisch gevolg, logische oorzaak. Gisteravond heb ik voordat ik naar bed ging een slaappil ingenomen, met een glaasje water. Dus toen wás er nog water. En vanochtend niet meer. Dus, mijn beste Watson, is de hoofdkraan vannacht op een gegeven moment dichtgedraaid – en niet door jou. Iemand, een aantal mensen, is mijn huis binnengedrongen en was bang dat ik wakker zou worden, en niet zozeer van het lawaai dat zíj maakten (ze werkten geruisloos), maar van die regendruppelprelude, waar zelfs zij gek van werden (misschien vroegen ze zich wel af hoe het mogelijk was dat ik er niet wakker van werd). En dus hebben ze, doortrapt als ze waren, gedaan wat mijn buurvrouw ook zou doen, ze hebben het water afgesloten.

En toen? De boeken staan net zo rommelig in de boekenkast als altijd; al waren de geheime diensten van de halve wereld langs geweest en hadden ze ze bladzijde voor bladzijde doorgebladerd, dan nog zou het me niet zijn opgevallen. Het heeft geen zin in de laden te kijken of de kast in de hal te openen. Als je iets wilt vinden, hoef je heden ten dage maar één ding te doen: iemands computer doorzoeken. Misschien hebben ze om geen tijd te verliezen alles gekopieerd en zijn ze er daarna vandoor gegaan. En zijn ze er pas net, na alle bestanden één voor één te hebben geopend, achter gekomen dat er niks op de computer stond wat voor hen interessant kan zijn.

Wat hoopten ze te vinden? Het is duidelijk – ik bedoel, een andere verklaring zie ik niet – dat ze iets zochten wat met de krant te maken had. Ze zijn niet achterlijk, ze dachten waarschijnlijk dat ik aantekeningen had gemaakt over alles wat we op de redactie doen, en dat ik, als ik iets afwist van de kwestie-Braggadocio, daar dus ergens iets over moest hebben opgeschreven. Inmiddels zullen ze wel vermoeden hoe het zit, namelijk dat ik alles op een diskette heb gezet. Natuurlijk zullen ze vannacht ook een bezoekje aan de redactie hebben gebracht en daar geen diskettes van mij hebben aangetroffen. Dus zijn ze (ongeveer op dit moment) tot de conclusie gekomen dat ik die misschien wel altijd bij me draag. Wat een stelletje oenen zijn we, zeggen ze nu waarschijnlijk tegen elkaar, we hadden in zijn zakken moeten kijken. Oenen? Klootzakken. Als ze snugger waren geweest, hadden ze nu niet van die vuile klusjes hoeven opknappen.

Nu zullen ze het vermoedelijk weer proberen, iets als de gestolen brief moeten ze toch kunnen verzinnen, ze laten me gewoon op straat overvallen door nep-tasjesdieven. Ik moet dus opschieten en de diskette voordat ze een nieuwe poging doen naar een poste restante-adres versturen, dan zie ik wel wanneer ik die ga ophalen. Maar wat haal ik me toch allemaal in mijn hoofd? Er is al een dode gevallen en Simei is met de noorderzon vertrokken. Die types hebben er niets aan te weten of ik het weet, noch aan wat ik weet. Ze zullen me waarschijnlijk uit voorzorg uit de weg ruimen, en dat is dan dat. En ik kan ook moeilijk in de krant schrijven dat ik van de hele zaak niets af wist, want alleen al door erover te beginnen maak ik duidelijk dat ik er wél iets vanaf wist.

Hoe ben ik in dit wespennest terechtgekomen? Volgens mij is het zowel de schuld van professor Di Samis als van het feit dat ik de Duitse taal machtig ben.

Waarom moet ik opeens aan Di Samis denken, aan iets wat veertig jaar geleden is gebeurd? Vast omdat ik er altijd van overtuigd ben geweest dat het de schuld van Di Samis is dat ik nooit ben afgestudeerd – en doordat ik nooit ben afgestudeerd ben ik in deze affaire verwikkeld geraakt. Daar komt bij dat Anna me na twee jaar huwelijk heeft verlaten omdat ze in de gaten kreeg dat ik, in haar bewoordingen, een dwangmatige loser was – god mag weten wat ik haar ooit allemaal had wijsgemaakt om een goede indruk op haar te maken.

Ik ben nooit afgestudeerd omdat ik Duits kende. Mijn oma kwam uit Alto Adige en sprak het met me toen ik klein was. Vanaf het moment dat ik op de universiteit zat, had ik om mijn studie te bekostigen werk aangenomen als vertaler van Duitse boeken. In die tijd was je al een vakman als je de Duitse taal machtig was. Je las en vertaalde boeken die anderen niet begrepen (en die toentertijd voor belangrijk werden gehouden) en je kreeg beter betaald dan voor Frans en zelfs dan voor Engels. Tegenwoordig gaat denk ik hetzelfde op voor mensen die Chinees of Russisch kennen. Hoe dan ook, óf je vertaalt uit het Duits óf je studeert af: allebei tegelijk gaat niet. Als je vertaalt, zit je namelijk zomer en winter thuis te werken, met pantoffels aan, waarbij je ondertussen ook nog eens een hele hoop opsteekt. Waarom zou je dan nog naar college gaan?

Dat ik toch had besloten me in te schrijven voor een college Duits was uit pure lamlendigheid. Ik zou er weinig voor hoeven doen, dacht ik bij mezelf, want ik wist alles al. De ster in die tijd was professor Di Samis die in een bouwvallig barokgebouw zijn eigen adelaarsnest had gecreëerd, zoals de studenten het noemden, dat te bereiken was via een brede trap die naar een groot bordes voerde. Aan de ene kant daarvan lag het instituut van Di Samis, aan de andere kant de aula magna, zoals Di Samis die nogal hoogdravend noemde, oftewel een zaal met een vijftigtal zitplaatsen.

Je mocht het instituut alleen betreden met sloffen. Bij de ingang stonden er voldoende voor de assistenten en twee of drie studenten. Wie misgreep moest buiten op zijn beurt wachten. Alles zat goed in de boenwas, inclusief de boeken langs de wanden, geloof ik. En óók de gezichten van de stokoude assistenten, die al sinds mensenheugenis wachtten tot die leerstoel hun nou eindelijk eens zou toevallen.

De aula had een heel hoog gewelfd plafond en gotische ramen (waarom dat zo was, in een barokgebouw, heb ik nooit begrepen) met groen vensterglas. Precies op tijd, te weten om veertien óver, kwam professor Di Samis het instituut uit, op een meter afstand gevolgd door zijn oudste assistent, en op twee meter door de jongere, van net onder de vijftig. De oudste assistent droeg zijn boeken, de jongere zijn bandrecorder – die in die tijd, het eind van de jaren vijftig, nog gigantisch was, een soort Rolls Royce.

Di Samis legde de tien meter die het instituut van de aula scheidden af alsof het er twintig waren: hij liep niet in een rechte lijn maar in een bocht, ik weet niet of het een parabool of een ellips was, en verkondigde op luide toon: 'Daar zijn we dan!' Vervolgens betrad hij de aula en nam plaats op een soort gebeeldhouwd podium – het ontbrak er nog maar aan dat hij van wal stak met de woorden noem mij Ismaël.

In het groene licht dat door de ramen naar binnen viel had zijn gezicht, waarop zodra zijn assistenten de bandrecorder aanzetten een kwaadaardig glimlachje verscheen, wel iets van een dodenmasker. Daarna begon hij: 'In tegenstelling tot hetgeen mijn eerwaarde collega professor Bocardo onlangs beweerde...' en zo verder, twee uur lang.

Door dat groene licht viel ik altijd ten prooi aan een waterige slaperigheid, hetgeen zo te zien ook gold voor de assistenten. Ik wist hoezeer ze leden. Aan het eind van de twee uur liet professor Di Samis, terwijl wij studenten naar buiten zwermden, de band terugspoelen, stapte van het podium af, ging democratisch tussen de assistenten op de eerste rij zitten, en dan luisterden ze met z'n allen nogmaals naar het twee uur durende college, terwijl de professor tevreden knikte bij elke passage die in zijn ogen van essentieel belang was. En dan te bedenken dat het een college betrof over de vertaling van de Bijbel in het Duits van Luther. Om je vingers bij af te likken, zeiden mijn medestudenten met een holle blik in hun ogen.

Aan het eind van het tweede jaar, waarin ik bijzonder weinig colleges had bijgewoond, had ik de stoute schoenen aangetrokken en hem gevraagd of ik mijn scriptie mocht schrijven over de ironie bij Heine (ik vond het troostrijk dat die auteur ongelukkige liefdes behandelde met, in mijn ogen, de juiste dosis cynisme – ik bereidde me in die tijd voor op mijn eigen liefdes). 'Ach, jullie jongeren,' zei Di Samis mismoedig, 'waarom willen jullie je toch altijd meteen op hedendaagse auteurs storten...'

Ik begreep in een vlaag van helderheid dat ik de scriptie bij Di Samis op mijn buik kon schrijven. Dus overwoog ik professor Ferio te vragen, die wat jonger was, de reputatie had verbijsterend intelligent te zijn en die zich bezighield met de romantiek en wat dies meer zei. Maar mijn oudere medestudenten waarschuwden me dat ik bij de beoordeling van mijn scriptie sowieso óók te maken zou krijgen met Di Samis, en dat ik professor Ferio niet via de officiële kanalen moest benaderen omdat Di Samis daar meteen achter zou komen, waarna diens eeuwige haat mijn deel zou zijn. Ik moest een omweg bewandelen, alsof het Ferio was geweest die me had gevraagd mijn scriptie bij hem te schrijven, en dan zou Di Samis kwaad zijn op hém en niet op mij. Di Samis haatte Ferio, om de eenvoudige reden dat hij hem een leerstoel had bezorgd. Aan de universiteit gingen de dingen toen (maar ik geloof nu nog steeds) precies tegenovergesteld aan hoe ze in de normale wereld gaan: het zijn niet de zonen die de vaders haten maar de vaders die de zonen haten.

Ik bedacht dat ik ervoor moest zorgen dat ik Ferio zogenaamd toevallig tegen het lijf liep bij een van de maandelijkse lezingen die Di Samis in zijn aula magna organiseerde en die door veel van zijn collega's werden bezocht, omdat hij er altijd in slaagde beroemde wetenschappers te strikken.

Maar het volgende gebeurde: meteen na de lezing kwam het debat, dat werd gemonopoliseerd door de docenten, en daarna verliet iedereen het gebouw omdat de gastspreker een diner kreeg aangeboden in restaurant La Tartaruga, het beste van de buurt, in middennegentiende-eeuwse stijl, met obers in rokkostuum. De route van het adelaarsnest naar het restaurant voerde langs een brede straat met arcades, daarna over een monumentaal plein, vervolgens bij een statig gebouw de hoek om en ten slotte over een tweede pleintje. Welnu, lopend onder de arcades werd de gastspreker omringd door de hoogleraren, op een meter gevolgd door de docenten, op twee meter door de assistenten en op passende afstand door de meest vermetele studenten. Aangekomen bij het monumentale plein namen de studenten afscheid, op de hoek bij het statige gebouw zwaaiden de assistenten af, en de docenten liepen nog wel mee het pleintje over maar zeiden gedag op de drempel van het restaurant, waar alleen de gast en de hoogleraren naar binnen gingen.

En dus heeft professor Ferio nooit van mijn bestaan afgeweten. Intussen was ik afgeknapt op dat wereldje, ik ging niet meer naar college. Ik vertaalde als een robot, maar omdat je nu eenmaal moet aannemen wat ze je geven, zag ik me gedwongen een driedelig werk over de rol van Friedrich List bij de oprichting van de *Zollverein*, de Duitse douaneunie, om te zetten in de taal van Dante. Het moge duidelijk zijn dat ik daarna ophield met vertalen uit het Duits, maar inmiddels was het te laat om terug te gaan naar de universiteit.

De ellende is dat je die gedachte niet accepteert: je blijft geloven dat je ooit op een dag alle tentamens zult halen en zult afstuderen. En als je in je leven altijd maar blijft hopen op het onmogelijke, ben je eigenlijk al een loser. En als je dat eenmaal in de gaten hebt, is de dalende lijn ingezet.

Aanvankelijk vond ik werk in het Engadin, als privéleraar van een Duitse jongen die te dom was om naar school te gaan. Uitstekend klimaat, aanvaardbare eenzaamheid, en ik hield het een jaar vol omdat ik er goed voor werd betaald. Maar op een dag drukte de moeder van de jongen me in een gang tegen zich aan en maakte me duidelijk dat het haar niet zou mishagen zich te geven (aan mij welteverstaan). Ze had vooruitstekende tanden en de zweem van een snor, en ik maakte haar beleefd duidelijk dat ik haar wens niet deelde. Drie dagen later werd ik ontslagen, omdat de jongen geen vooruitgang boekte.

Daarna scharrelde ik mijn kostje bij elkaar als broodschrijver. Ik hoopte voor dagbladen te kunnen werken, maar vond louter emplooi bij een paar regionale kranten, waarvoor ik onder andere theaterkritieken schreef over voorstellingen in de provincie, van reizende gezelschappen. Ik heb nog voor een grijpstuiver variétévoorstellingen gerecenseerd, waarbij ik in de coulissen stond en mijn ogen niet kon afhouden van de danseressen in hun matrozenpakjes, gefascineerd als ik was door hun cellulitis, waarna ik hen volgde naar het café waar ze dineerden met een koffie verkeerd – of, als ze niet platzak waren, met een gebakken ei. Daar had ik mijn eerste seksuele ervaringen met een zangeres, in ruil voor een vleiende vermelding (in een krantje uit Saluzzo, maar voor haar volstond het).

Ik had geen vaderland, woonde in verschillende steden (dat ik uiteindelijk in Milaan belandde was alleen maar vanwege het telefoontje van Simei), corrigeerde drukproeven voor minstens drie uitgeverijen (universitaire, nooit grote uitgevers), voor eentje herzag ik de lemmata van een encyclopedie (ik moest data, boektitels, enzovoorts controleren), allemaal klussen waardoor ik op een gegeven moment een wijd uitwaaierende culturele bagage had vergaard. Losers hebben, net als autodidacten, een veel bredere kennis dan winnaars, als je wilt winnen moet je alles weten van één ding en geen tijd verdoen met het leren van al het andere, het genot van eruditie is voorbehouden aan losers. Hoe meer je weet, hoe meer er in je leven niet goed is gegaan.

Ik wijdde me een aantal jaren aan het beoordelen van manuscripten die ik van uitgeverijen kreeg (soms zelfs belangrijke), want daar heeft nooit iemand zin om de manuscripten die ze toegestuurd krijgen te lezen. Ze gaven me vijfduizend lire per manuscript, ik lag de hele dag op bed als een bezetene te lezen, vervolgens pende ik mijn oordeel neer op twee A4'tjes, waarbij ik mijn uiterste best deed om de roekeloze auteur met mijn sarcasme de grond in te boren, op de uitgeverij was iedereen opgelucht, ze schreven de nietsvermoedende man dat het hun ten zeerste speet dat, enzovoorts. Ook van manuscripten lezen die nooit gepubliceerd zullen worden kun je je beroep maken.

In de tussentijd was er die affaire met Anna, die afliep zoals te voorzien was geweest. Sindsdien is het me nooit meer gelukt met wezenlijke belangstelling aan een vrouw te denken (of heb ik dat nooit meer vurig gewild), omdat ik bang was dat ik weer zou falen. In seks heb ik op therapeutische wijze voorzien, een enkel avontuurtje, waarbij je niet bang hoeft te zijn dat je verliefd wordt, één nacht en wegwezen, dank je, het was leuk, en eens in de zo veel tijd betaald geslachtsverkeer, om niet al te zeer door mijn verlangen geobsedeerd te raken (de danseresjes hadden me ongevoelig gemaakt voor cellulitis).

Ondertussen droomde ik van datgene waar alle losers van dromen, te weten dat ik op een dag een boek zou schrijven dat me roem en rijkdom zou brengen. Om te leren hoe je een groot schrijver wordt heb ik zelfs gewerkt als nègre (of ghostwriter, zoals men dat tegenwoordig politiek correct noemt) voor een detectiveschrijver die op zijn beurt, om de verkoopcijfers op te krikken, een Amerikaanse naam als pseudoniem gebruikte, zoals acteurs in spaghettiwesterns ook wel doen. Maar het was fijn om in de luwte te werken, dubbel afgeschermd (door de Ander en door de andere naam van de Ander).

Andermans detectives schrijven was makkelijk, ik hoefde alleen maar de stijl van Chandler te imiteren, of in het ergste geval van Spillane; maar als ik probeerde iets van mezelf op papier te zetten, merkte ik dat ik, om iemand of iets te beschrijven, bijna altijd teruggreep op beelden uit de schilderkunst: ik was niet in staat om te zeggen dat iemand uit wandelen ging op een heldere, zonnige middag, maar ik zei dat hij onder een hemel als van Canaletto liep. Daarna realiseerde ik me dat D'Annunzio dat ook deed: hij zei niet dat een zekere Constance Landbrooke een bepaalde eigenschap bezat, maar schreef dat ze veel weg had van een schepping van Thomas Lawrence; over Elena Muti merkte hij op dat ze gelijkenis vertoonde met de vrouwenfiguren van de jonge Moreau, en Andrea Sperelli deed hem denken aan het portret van de onbekende edelman in de Galleria Borghese. En dus zou je om zijn romans te kunnen lezen eigenlijk eerst een cursus kunstgeschiedenis moeten volgen.

D'Annunzio mocht dan een slecht schrijver zijn, dat wilde nog niet zeggen dat ik dat ook zou moeten worden. Om me te bevrijden van mijn kwalijke neiging tot verwijzen besloot ik te stoppen met schrijven.

Kortom, ik leidde geen groots leven. En toen, al in de vijftig, ontving ik de uitnodiging van Simei. Ach, waarom zou ik dat niet ook een keer proberen?

Wat moet ik nu? Als ik mijn neus buiten de deur steek, loop ik gevaar. Ik kan beter binnen blijven, in het ergste geval staan ze me buiten op te wachten. Maar ik ga de deur niet uit. In de keuken heb ik nog wat pakjes crackers en blikjes vis. Er is ook nog een halve fles whisky over van gisteravond. Daar kan ik nog wel een dag of twee mee voort. Ik schenk mezelf een paar drupjes in (straks misschien nog een paar, maar pas vanmiddag, want van 's ochtends drinken word je ontzettend duf) en probeer terug te gaan naar het begin van dit avontuur, waarbij ik de hulp van de diskette helemaal niet nodig heb omdat alles me nog volstrekt helder voor de geest staat, nu nog wel tenminste.

De angst om te sterven geeft je herinneringen vleugels.

II

Maandag 6 april 1992

Simei had het gezicht van iemand anders. Ik bedoel, ik herinner me nooit de naam van mensen die Coppi, Pavarotti of Da Vinci heten, of zélfs Marconi of Fibonacci, want zo iemand heeft de naam van iemand anders, en ik herinner me altijd alleen dat hij een bekende naam heeft. Welnu, van Simei kon je je het gezicht nooit voor de geest halen omdat het leek op het gezicht van duizenden anderen. Hij had namelijk een doorsneegezicht.

'Een boek?' vroeg ik.

'Een boek, ja. De memoires van een journalist, het verslag van een jaar waarin gewerkt wordt aan het opzetten van een krant die nooit zal verschijnen. Trouwens, de naam van de krant moet *Morgen* worden, wat ook wel het motto van onze regeringen zou kunnen zijn: we gaan het er morgen weer over hebben. Het boek moet dus *Morgen: gisteren* gaan heten. Mooi, niet?'

'En u wilt dat ik het schrijf? Waarom schrijft u het niet zelf? U bent toch journalist? Tenminste, dat mag ik aannemen als u een krant gaat leiden...'

'Het is helemaal niet gezegd dat directeur van een krant zijn inhoudt dat je ook kunt schrijven. Het is helemaal niet gezegd dat de minister van Defensie weet hoe hij een handgranaat moet gooien. Het spreekt voor zich dat we het hele komende jaar elke dag over het boek zullen overleggen, u dient de stijl in te brengen, en de peper, maar de grote lijnen bewaak ik.'

'Bedoelt u dat we coauteurs van het boek zullen zijn? Of is het een interview met Simei, door Colonna?'

'Nee, nee, m'n beste Colonna, alleen míjn naam komt op het boek, en nadat u het hebt geschreven dient u van het toneel te verdwijnen. U zult, en dat is niet beledigend bedoeld, de ghostwriter zijn. Dumas had er een, ik zie niet in waarom ik er niet ook eentje zou kunnen hebben.'

'En waarom is de keus op mij gevallen?'

'Omdat u schrijverscapaciteiten hebt...'

'Dank u.'

'... maar dat nog nooit iemand is opgevallen.'

'Nogmaals bedankt.'

'Neem me niet kwalijk, maar tot op heden hebt u alleen voor provinciale kranten gewerkt, hebt u cultureel kruierswerk verricht bij een enkele uitgeverij, een roman geschreven voor een ander (vraag me niet hoe, maar ik heb hem in handen gekregen en het boek werkt, er zit ritme in) en op uw vijftigste kwam u op een drafje naar mij toen u hoorde dat ik misschien werk voor u had. Kortom, u kunt schrijven, en u weet wat een boek is, maar u kunt niet rondkomen. Niets om u voor te schamen. Voor mij geldt hetzelfde: dat ik op het punt sta een krant te gaan leiden die nooit zal verschijnen komt doordat ik nooit ben voorgedragen voor de Pulitzer Prize, ik heb alleen maar een wekelijkse sportkrant geleid en een maandblad voor alleen mannen, of voor mannen alleen, zo u wilt...'

'Ik zou mijn trots kunnen hebben, en weigeren.'

'Dat zult u niet doen want ik bied u zes miljoen lire per maand, een jaar lang, zwart.'

'Dat is heel wat voor een mislukte schrijver. En daarna?'

'En daarna bij inlevering van het boek, laten we zeggen binnen een halfjaar na afronding van het experiment, nog eens tien miljoen lire. En die betaal ik uit eigen zak.'

'En daarna?'

'En daarna zoekt u het verder maar uit. Als u niet alles uitgeeft aan vrouwen, paarden en champagne zult u in anderhalf jaar tijd ruim tachtig miljoen lire hebben verdiend, belastingvrij. Dan kunt u eens rustig om u heen gaan kijken.'

'Even voor alle duidelijkheid: als u mij zes miljoen geeft, hoeveel krijgt u in jezusnaam zelf dan wel niet? En dan zijn er nog de andere redacteurs, de productiekosten, de drukkosten en de distributie, en u wilt me vertellen dat iemand, een uitgever neem ik aan, bereid is een jaar lang voor dat experiment te betalen om er vervolgens niets mee te doen?'

'Ik heb niet gezegd dat hij er niets mee doet. Hij zal er vermoedelijk wel zijn voordeel mee doen. Maar ik niet, als die krant er niet komt. Ik kan natuurlijk niet uitsluiten dat de uitgever uiteindelijk besluit dat de krant toch moet verschijnen, maar dan wordt het big business en ik vraag me af of hij dan nog wil dat ik erbij betrokken ben. Dus ik bereid me erop voor dat de uitgever aan het einde van dit jaar zal besluiten dat het experiment de verwachte vruchten heeft afgeworpen en dat hij de boel kan opdoeken. Ik redeneer als volgt: als hij de strekker eruit trekt, publiceer ik het boek. Dat slaat ongetwijfeld in als een bom en zal me een flinke smak geld opleveren aan auteursrechten. Óf, maar dat is louter hypothetisch, iemand wil niet dat ik het uitgeef en betaalt me een x bedrag. Belastingvrij.'

'Snap ik. Maar als u op mijn loyale medewerking wilt kunnen rekenen, moet u me wellicht vertellen wie ervoor betaalt, waarom het *Morgen*-project bestaat, waarom het misschien zal mislukken en wat u in dat boek zult zetten dat ík, in alle bescheidenheid, zal hebben geschreven.'

'Oké. De geldschieter is Commandeur Vimercate. U hebt vast wel eens van hem gehoord...'

'Ja, ik weet wie Vimercate is, af en toe duikt zijn naam op in de krant: hij heeft tientallen hotels aan de Adriatische kust en flink wat bejaarden- en verpleeghuizen, houdt zich bezig met een aantal schimmige zaakjes waarover van alles wordt gefluisterd en bezit een stuk of wat lokale televisiestations die pas om elf uur 's avonds beginnen met uitzenden, en dan alleen maar van die verkoopprogramma's, teleshopping, en wat blootshows...'

'En een twintigtal tijdschriften.'

'Nou, tijdschriften... eerder roddelblaadjes over bekende sterren, zoals *Zij*, en *Peeping Tom*, en weekbladen over gerechtelijke onderzoeken, zoals *De geïllustreerde misdaad*, *Wat zit erachter*, troep, trash.'

'Nee, hij heeft ook nichebladen over tuinieren, reizen, auto's, zeilboten, *De dokter helpt*. Een imperium. Fraai, hè, dit kantoor? Er staat zelfs een ficus, net als bij de televisiebonzen van de RAI. Voor de redacteurs is er een *open space*, zoals ze dat in Amerika noemen, en voor u een eigen kamer, klein maar fijn, en er is ook nog een archiefruimte. Allemaal voor nop, want in dit gebouw zitten ook alle andere bedrijven van de Commandeur. Voor de productie en het drukken van de nulnummers maken we gebruik van de faciliteiten van de andere bladen, zodat de kosten van het experiment binnen de perken blijven. En we zitten praktisch in het centrum, heel anders dan de grote dagbladen, want om daar te komen moet je tegenwoordig twee metro's en een bus nemen.'

'Wat verwacht de Commandeur eigenlijk van dit experiment?'

'Hij wil toegang krijgen tot het financiële wereldje, en als het even kan ook tot de belangrijkste banken. Om dat te bereiken stelt hij de komst van een nieuw dagblad in het vooruitzicht dat zich ten doel stelt over alles de waarheid te vertellen. Twaalf nulnummers, zeg maar 0.1, 0.2 enzovoorts, in een zeer kleine, exclusieve oplage die de Commandeur zal beoordelen, waarna hij ervoor zal zorgen dat ze in handen komen van degenen die hij voor ogen heeft. Als hij eenmaal heeft bewezen dat hij de zogeheten achterkamers van de *high finance* en van de politiek in de problemen kan brengen, dan is het meer dan waarschijnlijk dat ze hem zullen smeken zijn idee te laten varen, hij ziet af van de *Morgen* en krijgt toegang tot dat wereldje. En dat alles voor de prijs van, pakweg, twee procent van de aandelen van een groot dagblad, van een bank, van een toonaangevend tv-kanaal.'

Ik floot: 'Twee procent is waanzinnig veel! Heeft hij het geld voor een dergelijke onderneming?'

'Doe niet zo onnozel. We hebben hier te maken met financiën, niet met handel. Je koopt eerst en daarna zorg je dat het geld om te betalen jouw kant op komt.'

'Ik snap het. En ik snap ook dat het experiment alleen werkt als de Commandeur niet zegt dat het blad uiteindelijk niet zal verschijnen. Iedereen moet denken dat de persen al staan te ronken, zogezegd...'

'Dat spreekt voor zich. Dat de krant niet zal uitkomen heeft de Commandeur ook nooit tegen mij gezegd, ik vermoed het alleen maar, of liever: ik ben ervan overtuigd. Maar onze medewerkers, die we morgen zullen ontmoeten, mogen het niet te weten komen: die moeten werken in de veronderstelling dat ze bouwen aan hun toekomst. Alleen u en ik zijn op de hoogte.'

'Maar wat levert het u op als u een jaar lang alles noteert wat u hebt gedaan om de chantagepraktijken van de Commandeur te faciliteren?'

'Gebruik alstublieft niet het woord chantage. Wij zullen nieuws brengen, *all the news that's fit to print*, zoals *The New York Times* dat noemt.'

'... en een ietsiepietsie meer.'

'Ik zie dat u me begrijpt. Of de Commandeur onze nulnummers daarna gebruikt om iemand schrik aan te jagen dan wel om z'n kont mee af te vegen, dat is zijn zaak, niet de onze. Punt is dat in mijn boek niet zal komen te staan wat we allemaal op de redactievergaderingen hebben besloten, want daarvoor heb ik u niet nodig en zou een bandrecorder volstaan. Het boek moet het beeld schetsen van een ándere krant, moet laten zien hoe ik me een jaar lang heb toegelegd op het verwezenlijken van een journalistiek model dat niet ontvankelijk is voor druk van buitenaf, en er moet in doorschemeren dat het avontuur slecht is afgelopen omdat zo'n onafhankelijk geluid niet levensvatbaar bleek. Kortom, verzin dingen, idealiseer, schrijf een epos... Ben ik duidelijk?'

'In het boek zal het tegenovergestelde komen te staan van wat er echt is gebeurd. Prima. Maar u wordt vast ontmaskerd.'

'Door wie? Door de Commandeur? Die zou dan moeten toegeven dat het project uitsluitend bedoeld was als afpersingsmiddel. Beter om de mensen te laten denken dat hij ermee moest stoppen omdat ook hij onder druk is gezet, dat hij er de voorkeur aan heeft gegeven het blad de nek om te draaien om te voorkomen dat het een zogezegd andersgericht geluid zou worden. En denkt u dat onze redacteurs, die in het boek als zeer integere journalisten worden neergezet, zullen zeggen dat het niet klopt? Mijn boek wordt een besseller' – zo sprak hij het uit – 'waar niemand iets tegen in zal willen of kunnen brengen.'

'Goed dan, omdat we allebei mannen zonder eigenschappen zijn, excuseer de verwijzing, stem ik ermee in.'

'Ik doe graag zaken met loyale mensen die zeggen wat ze op hun hart hebben.'

III

Dinsdag 7 april

Eerste ontmoeting met de redacteurs. Zes, dat is blijkbaar genoeg.

Simei had me meegedeeld dat ik er niet op uit hoefde om zogenaamd onderzoek te doen, maar dat ik altijd op de redactie moest zijn om de gebeurtenissen op te tekenen. Hij was begonnen met het rechtvaardigen van mijn aanwezigheid: 'Beste mensen, laten we elkaar eerst wat beter leren kennen. Dit hier is de heer Colonna, een man met veel journalistieke ervaring. Hij zal aan mijn zijde werken – als assistent van de directie, zeg maar – zijn voornaamste taak zal zijn al jullie artikelen te redigeren. Ieder van jullie komt uit een andere hoek, en bij een extreemlinks blad te hebben gewerkt is nu eenmaal iets anders dan ervaring te hebben opgedaan in de riooljournalistiek, en aangezien we, zoals jullie zien, met een spartaans klein groepje zijn, zal iemand die altijd necrologieën heeft geschreven nu wellicht aan een achtergrondartikel over de regeringscrisis moeten werken. Het is dus van belang tot één stijl te komen, en als iemand het bestaat om een woord als, ik zeg maar wat, "palingenese" te gebruiken, dan zal de heer Colonna diegene zeggen dat dat niet de bedoeling is en hem een alternatieve term suggereren.'

'Diepgaande morele wedergeboorte,' zei ik.

'Precies. En als iemand om een dramatische situatie te beschrijven zegt dat we ons in het oog van de storm bevinden, stel ik me zo voor dat de heer Colonna zo slim zal zijn jullie erop te wijzen dat volgens alle wetenschappelijke handboeken het oog van de storm de enige plek is waar het volstrekt rustig is, terwijl de storm daar omheen woedt.'

'Nee, waarde Simei,' viel ik hem in de rede, 'in dat geval zal ik zeggen dat je júist het oog van de storm moet gebruiken omdat het er niet toe doet wat de wetenschap zegt, de lezer weet dat niet, en het oog van de storm geeft hem wel degelijk het idee dat hij in de problemen zit. Daar is hij door de pers en de televisie aan gewend geraakt. Net zoals de media hem ervan hebben overtuigd dat je "zich beseffen" en "penántie" zegt terwijl je "zich realiseren" – of "beseffen", zonder zich – en "pénalty" zou moeten zeggen.'

'Uitstekend idee, Colonna, we moeten de taal van de lezer spreken, niet die van de intellectueel die zegt dat het gremium à contrecoeur een decisie heeft geforceerd. Bovendien heeft onze uitgever blijkbaar een keer gezegd dat de mensen die naar zijn tv-zenders kijken in geestelijk opzicht gemiddeld twaalf jaar oud zijn. Dat geldt niet voor onze lezers, maar het is altijd nuttig om hun een bepaalde leeftijd toe te kennen: idealiter zijn ze ouder dan vijftig, brave, eerlijke burgers die hechten aan recht en orde maar ook verzot zijn op roddels en onthullingen waarin de orde op allerlei manieren ondermijnd wordt. Laten we er in principe van uitgaan dat het geen zogeheten geoefende lezers zijn, sterker nog, het merendeel heeft waarschijnlijk niet eens een boek in huis, ook al zullen we indien nodig de grote roman bespreken waarvan er over de hele wereld miljoenen exemplaren worden verkocht. Onze lezer leest geen boeken maar denkt graag dat er excentrieke kunstenaars bestaan die ook nog eens miljonair zijn, zoals hij ook nooit de diva met de ellenlange benen van dichtbij zal zien maar toch alles over haar geheime liefdes zal willen weten. Maar goed, het is tijd dat ook de anderen zich voorstellen. Zelf. We beginnen met de enige vrouw, juffrouw, of mevrouw...'

'Maia Fresia. Alleenstaand, of ongehuwd, of single, zo u wilt. Achtentwintig, bijna afgestudeerd in de letteren, ik ben gestopt vanwege familieomstandigheden. Ik heb vijf jaar bij een roddelblad gewerkt, het was mijn taak binnen de theaterwereld uit te vogelen wie intieme vriendschappen onderhield met wie, en ik moest de fotografen vertellen waar ze zich moesten opstellen; vaker nog moest ik een zanger of een actrice overhalen om intieme vriendschappen met deze of gene te veinzen en ze meenemen naar de plek waar de paparazzi stonden, en dan natuurlijk hand in hand of elkaar zelfs vluchtig kussend. In het begin vond ik het leuk, maar nu heb ik er genoeg van om leugens te verkopen.'

'En waarom hebt u besloten u in dit avontuur te storten, schoonheid?'

'Ik denk dat er in een dagblad serieuzer zaken aan bod zullen komen en ik hoop me te profileren met diepgravende artikelen waarin intieme vriendschappen geen rol spelen. Ik ben nieuwsgierig, en volgens mij ben ik een goede speurneus.'

Ze was tenger en praatte met voorzichtig optimisme.

'Prima. U?'

'Romano Braggadocio...'

'Vreemde naam, waar komt die vandaan?'

'Tja, dat is een van de grote kwellingen van mijn leven. In het Engels schijnt het een kwalijke betekenis te hebben, iets uit een oud gedicht of zo, maar in andere talen gelukkig niet. Mijn opa was een vondeling, en zoals u weet werd de achternaam in dergelijke gevallen verzonnen door een gemeenteambtenaar. Als dat een sadist was, kon hij je ook Klapperkut als achternaam geven; in het geval van mijn opa was hij maar voor de helft sadist en had hij enige scholing genoten... Wat mij betreft, ik ben gespecialiseerd in het onthullen van schandalen en ik werkte voor een ander tijdschrift van onze uitgever, *Wat zit erachter*. Maar ik was niet in vaste dienst, hij betaalde me per artikel.'

Wat de overige vier betreft: Cambria had zijn nachten doorgebracht op de spoedeisende hulp of op politiebureaus om boven op het nieuws te zitten, arrestaties, dood door roekeloos rijgedrag op de snelweg, en had verder geen carrière gemaakt; Lucidi wekte bij de eerste aanblik enig wantrouwen en had meegewerkt aan publicaties waar niemand ooit van had gehoord; Palatino had een lange carrière achter de rug bij puzzelbladen; Costanza had als corrector bij verschillende kranten gewerkt, maar alle kranten waren inmiddels zó dik dat niemand meer alles kon lezen voordat ze naar de drukker gingen, tegenwoordig schreven zelfs de grote dagbladen dingen als Simone de Beauvoire, Beaudelaire en Rooseveld, en correctoren raakten net zo in onbruik als de drukpers van Gutenberg. Geen van deze reisgenoten had een inspirerend arbeidsverleden. Een brug van San Luis Rey. Waar Simei ze had opgeduikeld, geen idee...

Nadat iedereen zich had voorgesteld zette Simei de opzet van de krant uiteen.

'We gaan dus een krant maken. Waarom *Morgen*? Omdat traditionele kanten altijd het nieuws van de avond tevoren brachten, en helaas nog steeds brengen, en dat is dan ook de reden dat ze *Corriere della Sera*, *Evening Standard* of *Le Soir* heten. Tegenwoordig hebben we het nieuws van de vorige dag al gezien op het achtuurjournaal, en dus staan er altijd dingen in de krant die je al weet, en daarom worden er steeds minder van verkocht. In de *Morgen* zal dat nieuws, dat inmiddels al over de datum is, natuurlijk wel kort worden aangestipt en samengevat, maar daarvoor volstaat één kolommetje dat je zo hebt gelezen.'

'En wat moet er dan wél in de krant komen?' vroeg Cambria.

'Het lot van een dagblad van tegenwoordig is dat het op een weekblad moet lijken. Wij berichten over wat er morgen zou kunnen gebeuren, met achtergrondartikelen, onderzoeksbijlagen, verrassende vergezichten... Ik geef een voorbeeld. Om vier uur ontploft er een bom, en de dag daarop weet iedereen dat al. Dus moeten wij tussen vier uur en middernacht, voordat we ter perse gaan, zien uit te vinden wie er iets nieuws te melden heeft over de mogelijke verantwoordelijken, iets wat zelfs de politie nog niet weet, en moeten we een scenario schetsen van hetgeen er door toedoen van die aanslag in de weken daarna zal voorvallen...'

Braggadocio: 'Maar om een dergelijk onderzoek binnen acht uur op te tuigen heb je een redactie nodig die minstens tien keer zo groot is als de onze, plus een waanzinnige hoop contacten, informanten of weet ik het...'

'Precies, en als de krant daadwerkelijk gaat verschijnen zal dat ook het geval moeten zijn. Maar het komend jaar hoeven we alleen maar te bewijzen dat het mogelijk is. En het is mogelijk omdat een nulnummer elke willekeurige datum kan hebben en heel goed als voorbeeld kan dienen van hoe de krant er maanden geleden uit had kunnen zien, bijvoorbeeld toen ze die bom lieten ontploffen. We weten al wat er daarna zal gebeuren, maar schrijven erover alsof de lezer dat nog niet weet. En zo zullen al onze onthullingen iets opzienbarends krijgen, iets verrassends, iets orakelachtigs, zou ik bijna willen zeggen. Oftewel, we moeten tegen de opdrachtgever zeggen: zo zou de *Morgen* eruit hebben gezien als die gisteren was uitgekomen. Duidelijk? En desgewenst zouden we, ook als niemand ooit een bom had gegooid, heel goed een nummer kunnen maken alsof dat wel zo was.'

'Of zelf een bom gooien als ons dat van pas komt,' grinnikte Braggadocio.

'Geen onzin alstublieft,' berispte Simei hem. En daarna, alsof hij zich bedacht: 'Maar als u dat werkelijk zou overwegen, dan wil ik er niets van weten.'

Toen de vergadering was afgelopen liep ik samen met Braggadocio naar beneden. 'Hebben wij elkaar niet eerder ontmoet?' vroeg hij. Ik dacht van niet, hij zei dat zal dan wel, op licht argwanende toon, en begon me meteen te tutoyeren. Simei had nog maar net bepaald dat we elkaar op de redactie met u zouden aanspreken, en ik hou gewoonlijk liever wat afstand, we hadden per slot nooit het bed gedeeld, maar Braggadocio wilde duidelijk benadrukken dat we collega's waren. Ik wilde niet de indruk wekken het hoog in de bol te hebben louter en alleen omdat Simei me als hoofdredacteur of iets dergelijks had voorgesteld. Bovendien intrigeerde de man me en had ik toch niks beters te doen.

Hij pakte me bij de elleboog en zei dat we wat gingen drinken in een tentje dat hij kende. Hij glimlachte met zijn vlezige lippen en zijn enigszins bolle ogen, op een manier die ik tamelijk weerzinwekkend vond. Kaal als Von Stroheim, met een nek die vanaf zijn boord recht omhoog liep, maar met het gezicht van Telly Savalas, oftewel Kojak. Zie je, weer een verwijzing.

'Aantrekkelijk wel, hè, die Maia?'

Tot mijn schande moest ik bekennen dat ik haar slechts vluchtig had bekeken – ik zei het al, ik hou me verre van vrouwen. Hij kneep me even in mijn arm: 'Doe je maar niet netter voor dan je bent, Colonna. Ik zag je wel, je keek steels naar haar zodat het niet op zou vallen. Volgens mij wil ze wel. In wezen willen ze allemaal wel, je moet het gewoon goed weten aan te pakken. Misschien een beetje te mager naar mijn smaak, sterker nog, ze heeft geen borsten, maar goed, ze kan ermee door.'

We liepen inmiddels in de Via Torino en ter hoogte van een kerk sloegen we rechts af een slecht verlicht, bochtig straatje in, met hier en daar een god mag weten hoe lang al dichtgetimmerde deur en zonder één winkel, alsof het al tijden geleden verlaten was. Het leek alsof er een muffe lucht hing, maar dat was waarschijnlijk slechts een geval van synesthesie, vanwege de afgebladderde en met verbleekte graffiti bedekte muren. Ergens hoog boven ons stak een pijp naar buiten waar rook uit kringelde – het was niet duidelijk waar die vandaan kwam want de ramen boven waren ook dicht, alsof daar niemand meer woonde. Misschien was het de schoorsteenpijp van een erachter gelegen huis en zagen ze er daar geen been in een uitgestorven straat uit te roken.

'Dit is de Via Bagnera, het smalste straatje van Milaan, al is het niet zo smal als de Rue du Chat-qui-Pêche in Parijs, waar je elkaar amper kunt passeren. Het heet Via Bagnera, maar werd ooit Stretta Bagnera genoemd, en dáárvoor Stretta Bagnaria, omdat er zich een stuk of wat badhuizen uit de Romeinse tijd bevonden.'

Op dat moment kwam er een vrouw met een buggy de hoek om. 'Argeloos of slecht ingelicht,' was Braggadocio's commentaar. 'Als ik een vrouw was, zou ik hier niet komen, zeker niet als het donker is. Ze steken je hier neer alsof het niets is. Het zou zonde zijn want dat kippetje is niet te versmaden, echt zo'n moedertje dat zich maar al te graag laat neuken door de loodgieter, kijk maar eens achterom, moet je gezien hoe ze met d'r kont loopt te draaien. Hier is bloed gevloeid. Achter deze inmiddels vergrendelde deuren moeten zich nog verlaten kelders bevinden, en misschien wel geheime gangen. In de negentiende eeuw heeft een zekere Antonio Boggia, een of andere non-valeur, in een van deze souterrains een boekhouder naar binnen gelokt met het verhaal dat hij hem zijn boeken wilde laten controleren, en heeft hem vervolgens met een bijl bewerkt. Het slachtoffer weet te ontkomen, Boggia wordt gearresteerd, krankzinnig verklaard en twee jaar in een gekkengesticht opgesloten. Maar zodra hij vrijkomt hervat hij zijn jacht op bemiddelde naïevelingen, lokt ze zijn kelder in, berooft en vermoordt ze, en begraaft ze ter plekke. Een *serial killer* zou je dat vandaag de dag noemen, maar een onvoorzichtige serial killer, want hij laat sporen van de zakelijke betrekkingen met zijn slachtoffers na en wordt ten slotte weer gearresteerd. De politie graaft het souterrain uit, vindt er vijf of zes lijken en Boggia wordt opgehangen bij de Porta Ludovica. Zijn hoofd werd geschonken aan het anatomisch kabinet van het Ospedale Maggiore – het was de tijd van Lombroso en men zocht in schedels en gelaatstrekken naar kenmerken van erfelijke criminaliteit. Daarna schijnt dat hoofd begraven te zijn op het Cimitero Maggiore, maar je weet maar nooit, want die resten waren natuurlijk spekkie voor het bekkie van occultisten en satan-aanbidders van allerlei pluimage... Ook nu waart de geest van Boggia hier nog rond, lijkt het of je in het Londen van Jack the Ripper bent, je moet hier 's nachts niet willen zijn, en toch word ik erdoor aangetrokken. Ik kom hier vaak, soms spreek ik hier met mensen af.'

We liepen de Via Bagnera uit en kwamen op de Piazza Mentana, en daarna leidde Braggadocio me de Via Morigi in, die ook tamelijk duister was, maar met hier en daar wat winkeltjes en fraaie voordeuren. We belandden op een plein met een groot parkeerterrein, omringd door ruïnes. 'Kijk,' zei Braggadocio, 'dat daar links zijn nog Romeinse resten, bijna niemand weet nog dat Milaan ooit de hoofdstad van het keizerrijk was. Dus dat is afblijven geblazen, ook al interesseert het niemand ook maar een moer. Maar daar achter het parkeerterrein staan huizen waar alleen de muren nog van overeind staan, want die zijn in de oorlog gebombardeerd.'

De van hun binnenste beroofde huizen straalden niet de eeuwenoude rust uit van de antieke resten, die inmiddels verzoend waren met de dood, maar oogden sinister, alsof ze aan lupus leden en geen vrede hadden met hun gehavende staat.

'Ik weet niet goed waarom niemand heeft geprobeerd hier te bouwen,' zei Braggadocio, 'misschien is het beschermd gebied, misschien levert het parkeerterrein de eigenaren meer op dan huurhuizen. Maar waarom die bombardementssporen laten zitten? Ik vind die open plek angstaanjagender dan de Via Bagnera, maar ook mooi, omdat hij toont hoe Milaan er na de oorlog uitzag. Er zijn nog maar weinig plekken waar je kunt zien hoe de stad er bijna vijftig jaar geleden bij lag. En dat is het Milaan dat ik probeer terug te vinden, de stad waar ik als kind en als jongen ben opgegroeid; de oorlog eindigde toen ik negen was, af en toe heb ik 's nachts het idee dat ik het lawaai van de bommen weer hoor. Maar er zijn niet alleen ruïnes over: kijk maar naar het begin van de Via Morigi, die toren daar stamt uit de zeventiende eeuw en die hebben zelfs de bommen niet klein gekregen. En daar beneden, kom maar mee, zit al sinds het begin van de twintigste eeuw een restaurant, Taverna Moriggi, vraag me niet waarom het restaurant een G meer heeft dan de straat, waarschijnlijk hebben ze zich bij de gemeente vergist toen ze de straatnaamborden ophingen, het etablissement is ouder en die naam moet dus kloppen.'

We gingen een ruimte binnen met rode wanden, een afgebladderd plafond waaraan een oude smeedijzeren kroonluchter hing, een hertenkop boven de toog, honderden bestofte wijnflessen langs de muren, gammele houten tafels (het was nog geen etenstijd, zei Braggadocio, en dus lagen er nog geen tafellakens op, later zouden ze er van die rood geblokte opleggen, en als je wilde bestellen moest je op een schoolbord kijken, zoals in Franse eethuizen). Aan de tafels zaten studenten, wat oude bohemiens met lang haar, maar niet zoals die van de generatie '68, meer het type dichter, van het soort dat vroeger een hoed met een brede rand en een foulard droeg, en verder nog een paar aangeschoten oude mannen van wie niet duidelijk was of die daar al zaten sinds het begin van de eeuw of dat ze door de nieuwe eigenaars waren ingehuurd als figuranten. We snoepten wat van een bord met plakjes kaas, worst en spek en dronken een werkelijk uitstekende merlot.

'Geweldig, hè?' zei Braggadocio. 'Je hebt hier echt het idee dat de tijd heeft stilgestaan.'

'Waarom voel je je zo aangetrokken door dit Milaan dat niet meer zou moeten bestaan?'

'Dat zei ik toch, ik wil kunnen zien wat ik me bijna niet meer herinner, het Milaan van mijn opa en mijn vader.'

Hij nam een slok, zijn ogen begonnen te glanzen, hij veegde met een papieren servet een kring weg die de wijn op de oude houten tafel had achtergelaten.

'Mijn familiegeschiedenis is niet al te fraai. Mijn opa was hiërarch tijdens het noodlottige regime, zoals men dat pleegt te noemen. Op 25 april werd hij door een partizaan herkend toen hij niet ver hiervandaan, in de Via Cappuccio, probeerde ertussenuit te knijpen; hij werd opgepakt en ter plekke gefusilleerd. Mijn vader hoorde het pas later want hij had, trouw aan de denkbeelden van mijn opa, in '43 getekend voor de

Decima MAS, en was uiteindelijk in Salò gevangengenomen en voor een jaar naar een concentratiekamp in Coltano gestuurd. Hij redde het vege lijf omdat hem geen ernstige misdrijven ten laste konden worden gelegd, en bovendien had Togliatti al in '46 een algehele amnestie afgekondigd – de contradicties van de geschiedenis: de fascisten gerehabiliteerd door de communisten, maar misschien had Togliatti gelijk, moest het leven koste wat kost weer zijn normale loop nemen. Maar de normale loop betekende voor mijn vader, met zijn verleden en met de slagschaduw van zíjn vader, dat hij geen werk vond en werd onderhouden door mijn moeder, die naaister was. En dus ging het beetje bij beetje bergafwaarts met hem, hij dronk, en ik herinner me van hem alleen een rood dooraderd gezicht met waterige ogen, terwijl hij zijn obsessies met me deelde. Hij probeerde het fascisme niet te rechtvaardigen – idealen had hij inmiddels niet meer – maar zei dat de antifascisten ter veroordeling van het fascisme een heleboel gruwelverhalen hadden opgedist. Hij geloofde niet dat er zes miljoen joden waren vergast in de kampen. Ik bedoel, hij was niet zo iemand die tot op de dag van vandaag volhoudt dat de Holocaust niet heeft plaatsgevonden, maar hij vertrouwde het verhaal niet dat door de bevrijders was geconstrueerd. Allemaal overdreven getuigenissen, zei hij, ik heb gelezen dat er, volgens een aantal overlevenden, midden in het kamp meer dan honderd meter hoge bergen kleren lagen van alle mensen die waren vermoord. Honderd meter? Besef je wel, zei hij, dat een honderd meter hoge berg, die niet anders dan een piramidevorm kan hebben, een grondoppervlak beslaat dat groter zou zijn geweest dan het hele kamp bij elkaar?'

'Hij hield er vermoedelijk geen rekening mee dat iemand die iets verschrikkelijks heeft meegemaakt bij het weer oproepen daarvan hyperbolen gebruikt. Je bent getuige van een ongeluk op de snelweg en vertelt dat de lijken in een zee van bloed lagen. Daarmee wil je je toehoorders heus niet wijsmaken dat het een echte zee was, zoiets als de Middellandse Zee, je wilt alleen maar het idee overbrengen dat er heel veel bloed was. Kun je je indenken wat er gebeurt als iemand herinneringen ophaalt aan een van de meest tragische ervaringen van zijn leven...'

'Dat ontken ik niet, maar mijn vader heeft me geleerd niet alles voor zoete koek aan te nemen. Kranten liegen, historici liegen, de televisie liegt tegenwoordig ook. Heb je die journaals een jaar geleden niet gezien, tijdens de Golfoorlog, die zieltogende, met teer besmeurde aalscholver in de Perzische Golf? Later is vastgesteld dat er in dat seizoen onmogelijk aalscholvers in de Golf kunnen zijn geweest en dat het beelden van acht jaar eerder waren, uit de tijd van de Iran-Irakoorlog. Of, zeiden anderen, ze hadden aalscholvers uit de dierentuin gehaald en ingesmeerd met olie. En zoiets hebben ze waarschijnlijk ook gedaan met de misdaden van de fascisten. Let wel, niet dat ik iets op heb met de denkbeelden van mijn vader of mijn opa, en ik wil ook niet net doen alsof er geen joden zijn vermoord. Trouwens, sommige van mijn beste vrienden zijn joden. Het idee! Maar ik vertrouw niemand en niets meer. Zijn de Amerikanen echt op de maan geweest? Het is niet ondenkbaar dat ze alles in een studio hebben nagebouwd, kijk maar eens goed naar de schaduwen van de astronauten na de landing, die zijn niet geloofwaardig. En heeft de Golfoorlog echt plaatsgevonden of hebben ze ons gewoon archiefbeelden laten zien? We leven in een leugen en als je weet dat je wordt voorgelogen, moet je leven in argwaan. Ik ben argwanend, altijd argwanend. Het enige waarvan ik echte bewijzen heb is het Milaan van vele decennia geleden. De bombardementen zijn er echt geweest, en die werden overigens uitgevoerd door de Engelsen, of de Amerikanen.'

'En je vader?'

'Die is bezweken aan de drank toen ik dertien was. Om die herinneringen uit te wissen heb ik, toen ik volwassen was, de andere kant gekozen. In '68 was ik de dertig al gepasseerd, maar ik liet mijn haar groeien, droeg een parka en een slobbertrui en had me aangesloten bij een maoïstische commune. Later kwam ik er niet alleen achter dat Mao meer mensen heeft vermoord dan Stalin en Hitler bij elkaar, maar ook dat er zich onder de China-sympathisanten provocateurs van de geheime dienst bevonden. En dus besloot ik me alleen nog maar bezig te houden met complotjournalistiek. Daardoor heb ik later kunnen voorkomen dat ik, terwijl ik er toch gevaarlijke vriendschappen op nahield, in de val werd gelokt door de rode terroristen. Ik was helemaal nergens meer zeker van, behalve van het feit dat er altijd iemand bereid is je een mes in de rug te steken.'

'En nu?'

'En nu heb ik, als deze krant van de grond komt, misschien een plek gevonden waar mijn bevindingen serieus zullen worden genomen. Ik ben bezig met een verhaal dat... Het zou wel eens verder kunnen reiken dan de krant, er zit misschien een boek in. En dus... Maar we dwalen af, we hebben het er nog wel over als ik alle gegevens heb verzameld. Alleen moet ik wel opschieten, ik heb geld nodig. Die paar centen die Simei ons geeft is al iets, maar niet genoeg.'

'Om van te leven?'

'Nee, om een auto te kopen; ik koop hem natuurlijk op afbetaling, maar goed, ik moet de termijnen wel betalen. En ik moet hem eigenlijk meteen hebben, ik heb hem nodig voor mijn onderzoek.'

'Sorry, je zegt dat je met je onderzoek geld wilt verdienen om een auto te kopen maar je hebt die auto nodig om je onderzoek te doen.'

'Om een en ander te kunnen reconstrueren moet ik me verplaatsen, plekken bezoeken, wellicht mensen ondervragen. Zonder auto en met de verplichting elke dag op de redactie te verschijnen zal ik alles uit mijn hoofd moeten doen, vertrouwend op mijn geheugen. En als dat nou nog het enige probleem was...'

'Wat is dan het eigenlijke probleem?'

'Weet je, niet dat ik besluiteloos ben, maar om te snappen

wat me te doen staat moet ik alle gegevens naast elkaar leggen. Eén los gegeven zegt niets, pas als je ze allemaal combineert zie je wat je op het eerste gezicht niet zag. Je moet eruit zien te lichten wat ze voor je verborgen proberen te houden.'

'Heb je het over je onderzoek?'

'Nee, over de keuze van de auto.'

Met een in wijn gedoopte vinger tekende hij op de tafel; het leek net zo'n tekening uit een puzzelboekje waarbij je de punten met elkaar verbindt en er een figuur verschijnt.

'Een auto moet snel zijn, en van een zekere klasse, zeker geen gezinswagen, en voor mij is het voorwielaandrijving of niets. Ik zat te denken aan een Lancia Thema Turbo 16v, die zit in het duurste segment, bijna zestig miljoen lire. Het is verleidelijk, tweehonderdvijfendertig per uur en acceleratie vanuit stilstand zeven komma twee. Beter kan bijna niet.'

'Wel duur.'

'Niet alleen dat, maar je moet ook op zoek gaan naar wat ze voor je verborgen houden. Waarover autoreclames niet liegen, zwijgen ze. Je moet de technische specificaties in de vakbladen uitvlooien, en zo kom je erachter dat hij een meter achtentachtig breed is.'

'Is dat niet goed dan?'

'Ook jou valt het niet op, maar in reclames vermelden ze altijd de lengte, die natuurlijk belangrijk is bij het parkeren, of voor het prestige, maar ze vermelden zelden de breedte, die van wezenlijk belang is als je een kleine garage hebt of een nog smallere carport, om nog maar te zwijgen van de keren dat je als een idioot rondrijdt om een gaatje te vinden waar je nog tussen past. De breedte is van wezenlijk belang. Je moet je oriënteren onder de een meter zeventig.'

'Die zijn er wel, neem ik aan.'

'Zeker, maar in een auto van een meter zeventig zit je krap, als er iemand naast je zit heb je niet genoeg ruimte voor je rechterelleboog. En je hebt ook niet het gemak dat je in bredere auto's wél hebt, waar een heleboel knopjes naast de versnellingspook zitten zodat je er met je rechterhand makkelijk bij kunt.'

'Oké. En verder?'

'Je moet erop letten dat er op het dashboard voldoende te zien is en dat er bedieningsknoppen aan het stuur zitten, zodat je niet onnodig met je rechterhand in de weer hoeft. En zo kwam ik uit bij de Saab 900 Turbo, een meter achtenzestig, topsnelheid tweehonderddertig, en minder duur, vijftig miljoen.'

'Helemaal jouw auto.'

'Ja, maar alleen ergens helemaal onderaan vertellen ze je dat hij een acceleratievermogen heeft van acht komma vijf terwijl het ideaal maximaal zeven is, zoals in de Rover 220 Turbo, veertig miljoen, een meter achtenzestig breed, maximumsnelheid tweehonderdvijfendertig en acceleratie zes komma zes, een bolide.'

'Dus dan moet je in die richting zoeken...'

'Nee, want helemaal onder aan de lijst met specificaties onthullen ze dat hij een meter zevenendertig hoog is. Te laag voor een corpulent persoon zoals ik, meer een soort racegeval voor van die snelle jongens die de sportieveling willen uithangen, terwijl de Lancia een meter drieënveertig hoog is en de Saab een meter vierenveertig: dat is een vorstelijke hoogte. En daar komt bij, als je een snelle jongen bent kijk je niet naar de technische specificaties, want daarmee is het net als met bijwerkingen in de bijsluiter van geneesmiddelen, die zo klein zijn geschreven dat het je ontgaat dat je, als je ze neemt, de volgende dag het loodje legt. De Rover 220 weegt maar duizendvijfentachtig kilo: dat is niet veel, als je in botsing komt met een vrachtwagen ben je total loss. Je kunt beter kijken naar zwaardere auto's, met stalen versterkingen, geen Volvo, want dat is een tank maar te traag, maar op zijn minst een Rover 820TI, tegen de vijftig miljoen, tweehonderddertig per uur en veertienhonderdtwintig kilo.'

'Maar daar zie je vermoedelijk van af omdat...' zei ik, inmiddels zelf ook half paranoïde.

'Omdat die een acceleratievermogen heeft van acht komma twee: het is een schildpad, hij heeft geen pit. Net als de Mercedes C280, die weliswaar een meter tweeënzeventig breed is maar die, nog los van het feit dat hij zevenenzestig miljoen kost, een acceleratievermogen heeft van acht komma acht. En ook nog eens een levertijd van vijf maanden. En ook dat is zeker niet onbelangrijk, als je bedenkt dat sommige van de auto's die ik je noemde maar twee maanden levertijd hebben, en andere zelfs meteen leverbaar zijn. Waarom meteen leverbaar? Omdat niemand ze wil. Foute boel. Het schijnt dat je de Calibra Turbo 16v zo mee krijgt, tweehonderdvijfenveertig kilometer per uur, integrale versnelling, acceleratie zes komma acht, een meter negenenzestig breed, en net iets boven de vijftig miljoen.'

'Uitstekend, dunkt me.'

'Nee, nee, want hij weegt maar duizendvijfendertig, te licht, en hij is maar een meter tweeëndertig hoog, erger dan alle andere, alleen geschikt voor vermogende klanten met dwerggroei. En dat zijn niet de enige problemen. Dan heb je ook nog de bagageruimte. De grootste is die van de Thema 16v Turbo, maar die is dan ook een meter vijfenzeventig breed. Wat de smallere betreft ben ik blijven hangen bij de Dedra 2.0 LX, met een ruime kofferbak, maar die heeft niet alleen een acceleratievermogen van negen komma vier, maar weegt ook niet veel meer dan twaalfhonderd kilo en gaat maar tweehonderdtien per uur.'

'En dus?'

'En dus heb ik nou géén idee meer. Mijn hoofd loopt al om vanwege mijn onderzoek, en dan schrik ik 's nachts ook nog wakker en ga ik auto's liggen vergelijken.'

'Weet je alles dan uit je hoofd?'

'Ik heb tabellen gemaakt, maar de ellende is dat ik de tabellen uit mijn hoofd heb geleerd, en het is gewoon niet te doen. Ik begin zo langzamerhand te denken dat auto's zo worden ontworpen dat ik er onmogelijk een kan kopen.'

'Is die argwaan niet wat overdreven?'

'Argwaan is nooit overdreven. Je moet argwaan koesteren,

altijd, alleen zo vind je de waarheid. Zegt de wetenschap niet dat het zo moet?'

'Die zegt het niet alleen, maar brengt het ook in praktijk.'

'Gelul, ook de wetenschap liegt. Kijk maar naar de geschiedenis van de koude fusie. Ze hebben ons eerst maandenlang voorgelogen en vervolgens bleek het een verzinsel.'

'Maar daar zijn ze wél achter gekomen.'

'Wie? Het Pentagon, dat misschien iets wilde verhullen dat hen in verlegenheid kon brengen. Misschien hadden die kerels van de koude fusie wel gelijk en hebben degenen gelogen die zeiden dat zíj hadden gelogen.'

'Nou ja, wat het Pentagon en de CIA betreft zou je wel eens gelijk kunnen hebben, maar je wilt toch niet beweren dat alle autobladen opereren onder de vlag van de geheime diensten van een dreigende demoplutojudeocratie?' Ik probeerde te appelleren aan zijn gezonde verstand.

'O nee?' zei hij met een smalend lachje. 'Ook die hebben banden met de Amerikaanse grootindustrie, en met de zeven zusters van de olie die Enrico Mattei hebben vermoord, iets wat me verder geen bal kan schelen, ware het niet dat zij ook degenen zijn die mijn opa hebben laten fusilleren doordat ze de partizanen financieel steunden. Zie je hoe alles met elkaar verband houdt?'

Maar inmiddels waren de obers begonnen met tafeldekken en gaven ze ons te verstaan dat het voor mensen die alleen maar kwamen om te drinken tijd was om op te stappen.

'Ooit kon je hier op een paar glazen blijven zitten tot twee uur ’s nachts,’ verzuchtte Braggadocio, ‘maar nu mikken ze ook hier op klanten met geld. Misschien maken ze er op een dag wel een discotheek van, met stroboscooplampen. Begrijp me goed, hier is alles nog echt, maar helemaal koosjer is het toch niet. Ga maar na, dit Milanese restaurant wordt al tijdenlang gerund door mensen uit Toscane, is me verteld. Nou heb ik niks tegen Toscaners, dat zijn vast beste mensen, maar ik herinner me dat op een keer toen ik klein was de dochter van kennissen ter sprake kwam die ongelukkig getrouwd was, en dat een neef van ons toen zei: ze zouden onder Florence gewoon een muur moeten neerzetten. Waarop mijn moeder zei: onder Florence? Onder Bologna zul je bedoelen!’

Terwijl we op de rekening wachtten zei Braggadocio, bijna op fluistertoon: ‘Zou je me niet wat kunnen lenen? Je krijgt het over twee maanden terug.’

‘Ik? Ik zit ook zonder een cent, net als jij.’

‘Dat zal best. Ik weet niet hoeveel Simei je geeft en ik heb het recht niet het te weten. Ik zei het zomaar. Hoe dan ook, jij betaalt de rekening wel, hè?’

Dat was mijn kennismaking met Braggadocio.

IV

Woensdag 8 april

De dag daarop vond de eerste echte redactievergadering plaats. 'We maken de krant van 18 februari van dit jaar,' zei Simei.

'Waarom 18 februari?' vroeg Cambria, die zich gaandeweg zou onderscheiden als degene die altijd de domste vragen stelde.

'Omdat de carabinieri zich afgelopen winter, op 17 februari, toegang hebben verschaft tot het kantoor van Mario Chiesa, directeur van de Pio Albergo Trivulzio-corporatie en vooraanstaand lid van de socialistische partij in Milaan. Jullie kennen het verhaal: Chiesa had van een schoonmaakbedrijf in Monza smeergeld geëist voor een aanbesteding, er was sprake van honderdveertig miljoen lire waar hij tien procent van wilde, en zo zie je maar dat zelfs een bejaardenhuis een leuke melkkoe is. En het zal niet de eerste melkbeurt zijn geweest, want die schoonmaakkerel was het betalen zat en had Chiesa aangegeven. Hij was naar hem toegegaan om hem de eerste tranche van de overeengekomen veertien miljoen te overhandigen, maar met een verborgen microfoon en een dito camera. Chiesa had het stapeltje bankbiljetten nog niet aangepakt of de carabinieri waren zijn kantoor binnengevallen. De doodsbange Chiesa had een nog dikkere stapel bankbiljetten die hij al van iemand anders had geïnd uit zijn la gegrist en was de toiletten in geschoten om ze door te spoelen, maar zover kwam het niet, want voordat hij daartoe kans had gezien was hij al in de boeien geslagen. Tot zover het verhaal, jullie herinneren het je natuurlijk, en nu weet u, Cambria, vast wel wat we daar de volgende dag over in de krant moeten zetten. Ga naar het archief, neem het nieuws van die dag goed door en schrijf een openingsartikeltje, of nee, liever een doorwrocht stuk, want als ik het me goed herinner was er die avond niets over op het journaal.'

'Oké, chef. Ik ben al weg.'

'Wacht, want dit is nou precies waar het bij de *Morgen* om draait. Jullie herinneren je vast ook dat de dagen erna werd getracht er niet te veel gewicht aan te geven, Craxi zou zeggen dat Chiesa slechts een marionet was en zou hem lozen, maar wat de lezer van 18 februari nog niet kon weten, is dat het gerechtelijk onderzoek intussen gewoon doorliep en dat er een onvervalste bloedhond ten tonele zou verschijnen, te weten openbaar aanklager Di Pietro, die iedereen nu inmiddels kent maar van wie toen nog nooit iemand had gehoord. Di Pietro zette Chiesa de duimschroeven aan, ontdekte dat hij Zwitserse bankrekeningen had, liet hem bekennen dat hij niet de enige was en is inmiddels bezig een net van corruptie binnen de politiek bloot te leggen waarbij alle partijen betrokken zijn. De eerste klappen zijn uitgerekend in de afgelopen dagen gevallen, jullie weten dat de christendemocraten en de socialisten bij de verkiezingen een enorme hoop stemmen zijn kwijtgeraakt en dat de Lega, die het schandaal omarmt uit haat jegens de machthebbers in Rome, groter is geworden. Het regent al arrestaties, de partijen desintegreren stukje bij beetje en er zijn mensen die zeggen dat de Amerikanen, nu de Berlijnse Muur is gevallen en de Sovjet-Unie niet meer bestaat, de partijen die ze voorheen konden manipuleren nu niet langer nodig hebben en dat ze die hebben uitgeleverd aan de rechterlijke macht – of wellicht is het zo dat de rechterlijke macht, gewaagde hypothese, een door de Amerikaanse geheime diensten opgelegde rol speelt, maar laten we vooralsnog niet overdrijven. Zo is de situatie nu, maar op 18 februari had niemand nog maar enig vermoeden van wat er stond te gebeuren. De *Morgen* heeft dat wél, en zal een reeks voorspellingen doen. Dat artikel vol hypotheses en insinuaties vertrouw ik u toe, Lucidi. Wees zo handig om woorden als *eventueel* en *wellicht* te gebruiken, terwijl u feitelijk uiteenzet wat er vervolgens daadwerkelijk is gebeurd. Hier en daar de naam van een politicus, verdeel ze eerlijk over de verschillende partijen, sla de linkse niet over, laat doorschemeren dat de krant nog meer materiaal aan het verzamelen is en verwoord het zó dat de lezers van ons eerste nulnummer, die heel goed weten wat er in de afgelopen twee maanden is gebeurd, de stuipen op het lijf worden gejaagd omdat ze zich angstig zullen afvragen wat er in een nulnummer zou staan met de datum van vandaag... Duidelijk? Aan het werk.'

'Waarom geeft u de opdracht aan mij?' vroeg Lucidi.

Simei wierp hem een merkwaardige blik toe. Moest Lucidi iets snappen wat wij niet snapten? 'Omdat ik weet dat u bijzonder bedreven bent in het verzamelen en het aan uw opdrachtgevers doorspelen van geruchten.'

Later vroeg ik Simei onder vier ogen wat hij had bedoeld.

'Mondje dicht tegen de anderen,' zei hij, 'maar volgens mij onderhoudt Lucidi warme banden met de inlichtingendienst en is de journalistiek voor hem een dekmantel.'

'Daarmee zegt u dat hij een spion is. En waarom wilde u een spion in de redactie?'

'Omdat het er niet toe doet dat hij ons bespioneert; hij kan de inlichtingendienst toch alleen maar dingen vertellen die ze ook meteen zouden snappen als ze willekeurig welk van onze nulnummers zouden lezen. Maar hij kan ons dingen vertellen die hij aan de weet is gekomen door ánderen te bespioneren.'

Simei mag dan geen groot journalist zijn, dacht ik, maar hij is wel enig in zijn soort. En ik moest denken aan die mop over een dirigent die over een musicus voor wie hij geen goed woord over heeft zegt: 'x is enig in zijn soort. Jammer dat zijn soort shit is.'

V

Vrijdag 10 april

We bleven nadenken over wat er in het eerste nulnummer moest komen en ondertussen nam Simei geregeld de gelegenheid te baat om uit te wijden over de voornaamste, voor iedereen geldende werkprincipes.

'Colonna, laat onze vrienden eens zien hoe observeren in zijn werk gaat, of hoe je kunt doen alsof je observeert, een fundamentele stelregel van de democratische journalistiek: feiten gescheiden houden van opinies. Er zullen een heleboel meningen in de *Morgen* komen te staan, en die worden ook als zodanig gepresenteerd, maar hoe toon je aan dat er in ándere artikelen alleen maar feiten worden vermeld?'

'Doodeenvoudig,' zei ik. 'Kijk maar naar de grote Engelstalige kranten. Als daar iets in staat over, weet ik het, een brand of een auto-ongeluk, dan kunnen ze natuurlijk niet zeggen wat ze er zelf van vinden. En dus larderen ze het artikel met verklaringen, tussen aanhalingstekens, van een getuige, de man in de straat, een vertegenwoordiger van de publieke opinie. Als de aanhalingstekens er eenmaal staan, worden die uitspraken feiten, dat wil zeggen, het is een feit dat meneer zus en zo die en die mening heeft geuit. Maar omdat je zou kunnen denken dat de journalist alleen maar iemand aan het woord heeft gelaten die er net zo over denkt als hijzelf, presenteert hij twee meningen die tegenovergesteld aan elkaar zijn, om aan te tonen dat het onweerlegbaar vaststaat dat er over een kwestie verschillende meningen bestaan – en dat de krant zich daarvan rekenschap geeft. De slimmigheid zit hem in de aanhalingstekens bij, eerst, een banale mening en vervolgens bij een tweede mening, redelijker ditmaal, die erg lijkt op die van de journalist. Zo krijgt de lezer de indruk dat hij twee feitelijke mededelingen krijgt voorgeschoteld, maar is hij geneigd één daarvan als de meest overtuigende aan te nemen. Laat ik een voorbeeld geven: er is een viaduct ingestort, een vrachtwagen is eraf gereden en de chauffeur is dood. Na de kale feiten te hebben weergegeven, vervolgt het artikel: we hebben gesproken met meneer Rossi, 42 jaar, die een krantenkiosk op de hoek heeft. "Wat wilt u, zo gaan die dingen nu eenmaal," zei hij, "ik vind het zielig voor die stakker, maar het is het noodlot." Meteen daarna zal ene meneer Bianchi, 34 jaar, metselaar op een naburig bouwterrein, zeggen: "Het is de schuld van de gemeente, dat er problemen waren met dat viaduct was al heel lang bekend." Met wie zal de lezer zich identificeren? Met degene die uithaalt naar iemand of iets, die wijst op de verantwoordelijkheden. Duidelijk? Het probleem is wat je tussen de aanhalingstekens moet zetten, en hoe. Laten we 'ns oefenen. We beginnen met u, Costanza. Er is een bom ontploft op Piazza Fontana.'

Costanza dacht even na en zei toen: 'Meneer Rossi, 41 jaar, gemeenteambtenaar, die zich voor hetzelfde geld in de bank had kunnen bevinden toen de bom daar voor de deur ontplofte, zei ons: "Ik was er vlakbij en hoorde de explosie. Afschuwelijk. Er zit iemand achter die in troebel water wil vissen, maar wie, dat zullen we nooit weten." Meneer Bianchi, 50 jaar, kapper, ook in de buurt op het moment van de klap, die hij als oorverdovend en vreselijk ervoer, had als commentaar: "Typisch een aanslag van anarchistische signatuur, geen twijfel mogelijk."'

'Uitstekend. Juffrouw Fresia, het bericht komt binnen dat Napoleon dood is.'

'Nou, ik zou zeggen dat meneer Blanche, ik laat leeftijd en beroep maar even zitten, ons zegt dat het misschien niet juist was een man die toch al afgeschreven was op dat eiland op te sluiten, de stakker, hij had ook familie. Meneer Manzoni, of liever Mansoní, zegt: "Er is iemand gestorven die de wereld heeft veranderd, van de Manzanares tot de Rijn, een groot man!"'

'Mooi, die Manzanares,' glimlachte Simei. 'Maar er zijn meer manieren om meningen te ventileren zonder dat het al te veel opvalt. Om te weten wat je in een krant moet zetten dien je, zoals dat op andere redacties heet, een agenda vast te stellen. Er is een oneindige hoeveelheid nieuws om aan de wereld kenbaar te maken, maar waarom melden dat er een ongeluk is geweest in Bergamo en verzwijgen dat er in Messina ook eentje was? Het is niet het nieuws dat de krant maakt, maar de krant die het nieuws maakt. En vier verschillende berichten bij elkaar zetten betekent dat je de lezer er gratis een vijfde bij levert. Kijk, hier heb ik een krant van eergisteren, met op dezelfde pagina: Milaan, vrouw gooit pasgeboren kind in WC; Pescara, broer heeft niets met de dood van Davide te maken; Amalfi, vader beschuldigt psychologe aan wie hij anorectische dochter had toevertrouwd van oplichting; Buscate, jongen die op zijn vijftiende een achtjarig kind doodde na veertien jaar uit heropvoedingsinstituut. De vier berichten staan allemaal op de pagina "Maatschappij Kinderen Geweld". Nu is er hier weliswaar sprake van geweldsdelicten waarbij een minderjarige is betrokken, maar het betreft zeer uiteenlopende gebeurtenissen. Slechts in één geval, de kindermoord, gaat het om geweld van ouders jegens kinderen, de kwestie van de psychologe lijkt me niet om kinderen te gaan, want de leeftijd van de anorectische dochter wordt niet vermeld, als het verhaal van de jongen in Pescara al iets bewijst dan is het dat er geen geweld in het spel is geweest, en ten slotte gaat het geval in Buscate, als je goed leest, over een volwassen vent van bijna dertig en is het nieuws in kwestie al veertien jaar oud. Wat wil de krant ons zeggen met deze pagina? Misschien zit er geen opzet achter, kreeg een luie redacteur vier persberichten binnen en vond hij het handig ze op één pagina te zetten omdat ze zo meer effect sorteerden. Maar in feite brengt de krant een denkbeeld over, een waarschuwing, een vermaning, weet ik het... Hoe dan ook, denk eens aan de lezer: afzonderlijk van elkaar hadden deze vier berichten hem onverschillig gelaten, maar nu blijft hij op de pagina hangen. Duidelijk? Ik weet dat er heel wat is afgeoreerd over het feit dat kranten altijd schrijven "arbeider uit Calabrië valt collega aan" en nooit "arbeider uit Turijn valt collega aan", tja, dat is racisme, maar stel je eens een pagina voor met arbeider uit Turijn enzovoorts enzovoorts, gepensioneerde uit Venetië doodt echtgenote, kioskhouder uit Bologna pleegt zelfmoord, metselaar uit Genua tekent ongedekte cheque: wat interesseert het de lezer nou waar die lui allemaal vandaan komen? Maar als je het over een arbeider uit Calabrië hebt, of een gepensioneerde uit Apulië, een kioskhouder uit Bari of een metselaar uit Palermo, dan zaai je onrust over de misdaad in het zuiden, en dat is nieuws... We zijn een krant die gepubliceerd wordt in Milaan, niet in Catania, en we moeten rekening houden met de gevoeligheden van de Milanese lezer. Bedenk dat nieuws maken een mooie uitdrukking is, het nieuws, dat maken wij, en dat nieuws moeten we tussen de regels door over het voetlicht zien te krijgen. Waarde Colonna, ik wil graag dat u zich in de tijd die u over hebt bij onze redacteurs voegt, dat jullie gezamenlijk de persberichten doornemen, een aantal themapagina's maken en jezelf erin trainen het nieuws daar te laten opduiken waar het niet was, of waar het over het hoofd werd gezien. Veel succes.'

Een volgend punt was de ingezonden brief. We waren nog een krant zonder lezers en dus zou er, welk bericht we er ook in zetten, niemand zijn om daar tegen in te gaan. Maar een krant wordt mede beoordeeld op zijn vermogen op ingezonden brieven te reageren, met name als het een krant is die laat zien niet bang te zijn om in de drek te wroeten. We bereidden ons dus niet alleen voor op het moment dat er werkelijk ingezonden brieven zouden binnenkomen, maar verzonnen ook zelf een aantal brieven van lezers, inclusief onze reactie. Om de opdrachtgever te laten zien uit welk hout we waren gesneden.

'Ik heb het er gisteren met de heer Colonna over gehad. Colonna is bereid een college te geven, om het maar zo te noemen, over de techniek van het loochenen.'

'Goed,' zei ik, 'ik geef een schoolvoorbeeld, niet alleen fictief maar ook enigszins overdreven. Het is een parodie op een loochening die een paar jaar geleden in de *Espresso* stond, waarin werd gesuggereerd dat de krant een brief had ontvangen van een zekere Piet Lut. Ik lees hem u voor.

Geachte directeur,

Naar aanleiding van het artikel 'Op de idus van maart zat ik thuis bij de haard' dat in het vorige nummer van uw krant is verschenen en was ondertekend door Aletheo Waarheid, ben ik zo vrij te wijzen op het volgende. Het is niet waar dat ik getuige ben geweest van de moord op Julius Caesar. Zoals u zult kunnen opmaken uit het bijgesloten uittreksel uit het bevolkingsregister ben ik geboren in Molfetta op 15 maart 1944, en dus vele eeuwen na de noodlottige gebeurtenis, die ik overigens altijd heb afgekeurd. De heer Waarheid moet mij verkeerd hebben begrepen toen ik zei dat ik de 15de maart '44 altijd vier met een aantal vrienden.

Ook is het niet juist dat ik daarna tegen een zekere Brutus gezegd zou hebben: 'In Philippi ontmoeten we elkaar weer.' Ik stel met nadruk dat ik nooit contact heb gehad met de heer Brutus, wiens naam ik gisteren pas voor het eerst hoorde. In de loop van ons korte telefonische vraaggesprek heb ik inderdaad tegen de heer Waarheid gezegd dat ik zeer binnenkort een ontmoeting zou hebben met de wethouder van verkeer Filippi, maar die zin werd uitgesproken binnen het kader van een gesprek over verkeersproblemen. Ik heb in die context nooit gezegd dat er snel een begin moest worden gemaakt met het onderzoek naar hetgeen de verrader van Julius Caesar dreef, maar dat de wethouder 'snel een begin moest maken met het onderzoek naar de verraderlijke situatie op de Julius Caesardreef'.

Met dank voor uw aandacht en met de meeste hoogachting,
Uw
Piet Lut

Hoe reageer je op zo'n gedetailleerde brief zonder gezichtsverlies? Een goed antwoord zou als volgt kunnen luiden:

Ik wil erop wijzen dat de heer Lut in het geheel niet ontkent dat Julius Caesar op de idus van maart '44 is vermoord. Ik wijs er tevens op dat de heer Lut de 15de maart '44 altijd viert met vrienden. En het was nu juist die eigenaardige gewoonte die ik in mijn artikel aan de kaak wilde stellen. De heer Lut mag dan zo zijn eigen redenen hebben om die datum met rijkelijke plengoffers te vieren, maar hij zal moeten toegeven dat de samenloop van omstandigheden op zijn minst curieus is. Hij zal zich bovendien herinneren dat hij tijdens het lange en consistente telefonische vraaggesprek dat hij mij toestond het volgende heeft gezegd: 'Ik ben van mening dat men de Keizer altijd moet geven wat des Keizers is.' Een bron zeer dicht bij de heer Lut – en ik heb geen redenen aan diens betrouwbaarheid te twijfelen – heeft me verzekerd dat de Keizer drieëntwintig dolkstoten zijn toegediend.

Ik wil tevens opmerken dat de heer Lut in zijn gehele brief verzuimt te zeggen wie die dolkstoten nu eigenlijk heeft toegebracht. Wat de deerniswekkende rectificatie met betrekking tot Philippi betreft: in mijn opschrijfboekje staat met zo veel woorden dat de heer Lut niet heeft gezegd 'Filippi en ik ontmoeten elkaar weer…' maar 'In Philippi ontmoeten we elkaar weer…'

Hetzelfde kan ik zeggen ten aanzien van de bedreigingen aan het adres van Julius Caesar. In de aantekeningen in mijn opschrijfboekje dat ik nu onder ogen heb, staat duidelijk geschreven 'snel onderzoek... verrader... J. Caesar dreef'. Je moet niet tegen beter weten in door middel van gedraai proberen je aan je verantwoordelijkheid te onttrekken of de pers de mond te snoeren.

Is getekend: Aletheo Waarheid. Welnu, wat is er zo doeltreffend aan deze loochening? Ten eerste, de opmerking dat wat er in de krant staat afkomstig is van bronnen in de directe omgeving van de heer Lut. Dat werkt altijd, je noemt de bronnen niet, maar suggereert dat de krant geheime bronnen heeft die wellicht betrouwbaarder zijn dan Lut zelf. Vervolgens beroep je je op het opschrijfboekje van de journalist. Dat krijgt nooit iemand te zien, maar de gedachte dat iets letterlijk is opgetekend verleent de krant betrouwbaarheid, wekt de indruk dat er documenten zijn. Ten slotte herhaal je insinuaties die op zich volstrekt nietszeggend zijn, maar die Lut in een wat dubieus daglicht plaatsen. Nu zeg ik niet dat loocheningen er precies zo uit moeten zien, we hebben het hier over een parodie, maar houd goed de drie pijlers onder de loochening van een loochening in gedachten: het geheel van de commentaren, de aantekeningen in het opschrijfboekje en de her en der opgevangen twijfel over de betrouwbaarheid van de loochenaar. Duidelijk?'

'Absoluut,' zeiden ze in koor. En de volgende dag nam elk van hen voorbeelden van geloofwaardiger loocheningen mee, en van minder groteske maar even doeltreffende loocheningen van de loochening. Mijn zes leerlingen hadden de les begrepen.

Maia Fresia kwam met: '*We nemen nota van de loochening maar hechten eraan te vermelden dat hetgeen we hebben gepubliceerd blijkt uit de processtukken, te weten de dagvaarding.* Dat Lut vervolgens na het vooronderzoek is vrijgesproken weet de lezer niet. Net zomin als hij weet dat die stukken geheim waren en dat het niet duidelijk is hoe we er de hand op hebben weten te leggen, noch of ze authentiek zijn. Ik heb de opdracht gemaakt, meneer Simei, maar, met uw welnemen, ik vind het eigenlijk niet echt kunnen.'

'Schoonheid,' merkte Simei op, 'weet u wat echt niet kan? Toegeven dat de krant zijn bronnen niet heeft gecheckt. Maar ik ben het er wel mee eens dat het altijd beter is om je, in plaats van feiten te verkondigen die iemand zou kunnen controleren, te beperken tot insinuaties. Als je insinueert hou je het in het vage, het dient alleen om de loochenaar in een dubieus daglicht te plaatsen. Bijvoorbeeld: *We nemen volgaarne nota van zijn verklaring, maar ons is gebleken dat de heer Lut*... altijd de heer gebruiken, nooit doctorandus of professor, de heer is een grove belediging, in dit land... *dat de heer Lut, tientallen brieven naar verschillende kranten heeft gestuurd. Het heeft er veel van weg dat het een obsessieve fulltime bezigheid voor hem is.* Als Lut dan wéér een brief stuurt zijn we gerechtigd die niet te publiceren, of we drukken hem wel af maar met het commentaar dat de heer Lut zichzelf voortdurend herhaalt. Zo raakt de lezer ervan overtuigd dat de man paranoïde is. Dat is het voordeel van de insinuatie: als we schrijven dat Lut al naar andere kranten heeft geschreven, dan is dat niets meer dan de waarheid, die niet geloochend kan worden. Een doeltreffende insinuatie behelst feiten die op zich geen waarde hebben, maar die ook niet loochenbaar zijn omdat ze waar zijn.'

Na die adviezen ter harte te hebben genomen, gingen we over tot – zoals Simei zei – een brainstormsessie. Palatino herinnerde zich ineens dat hij tot dan toe bij puzzelbladen had gewerkt en kwam met het voorstel om, naast tv-programma's, het weer en een horoscoop ook een halve pagina met puzzels in de krant op te nemen.

Simei onderbrak hem: 'Een horoscoop, potverdrie, het is goed dat u ons daaraan herinnert, dat is het eerste waar onze lezers naar op zoek gaan! Sterker nog, juffrouw Fresia, dat is uw eerste taak, u inlezen in kranten en tijdschriften waar horoscopen in staan en er een aantal terugkerende patronen uit destilleren. Maar beperkt u zich tot optimistische voorspellingen, de mensen houden er niet van om te horen dat ze over een maand zullen sterven aan kanker. En stel horoscopen samen die voor iedereen kunnen gelden, ik bedoel, een lezeres van zestig zal niet kunnen geloven in de voorspelling dat er binnenkort een jongeman voor haar zal vallen, maar wel in de voorspelling dat, ik zeg maar wat, steenbokken in de komende maanden iets zal overkomen waar ze gelukkig van zullen worden: dat gaat voor iedereen op, voor pubers als die ons toevallig lezen, voor ouwe taarten en voor boekhouders die hopen op salarisverhoging. Maar nu de puzzels, m'n beste Palatino. Waar denkt u aan? Kruiswoordraadsels bijvoorbeeld?'

'Ja, kruiswoordraadsels,' zei Palatino, 'die zijn voor onze lezers al moeilijk genoeg. Je kunt dan dingen vragen als wie Amerika heeft ontdekt...'

'En dan maar hopen dat de lezer Columbus invult,' grijnsde Simei.

'In buitenlandse kruiswoordraadsels vind je soms definities die op zich al een raadsel zijn. Zo stond er ooit in een Franse krant de opgave *l'ami des simples*, en de oplossing was herborist, omdat *simples* niet alleen onnozelaars zijn, maar ook geneeskrachtige kruiden.'

'Nee, dat is niks voor ons,' zei Simei, 'onze lezer weet niet alleen niets van geneeskrachtige kruiden, maar heeft ook geen benul van wat een herborist is of doet. Columbus, of de man van Eva, of de moeder van het kalf, alleen dat soort dingen.'

Op dat moment nam Fresia het woord, met een twinkeling in haar ogen en een bijna kinderlijke glimlach op haar gezicht, alsof ze op het punt stond een kwajongensstreek uit te halen. Ze zei dat kruiswoordraadsels een prima idee waren, maar dat de lezer altijd tot het daaropvolgende nummer moest wachten om te zien of zijn antwoorden klopten. Dat we ook konden doen alsof we in voorgaande nummers een soort wedstrijd hadden uitgeschreven en dat we nu de leukste antwoorden van de lezers publiceerden. Zo kon je bijvoorbeeld doen, zei ze, alsof je had gevraagd om heel domme antwoorden in te sturen op een al even domme vraag.

'Op de universiteit hebben we een keer de grootste lol gehad door de gekste vragen en antwoorden te verzinnen. Bijvoorbeeld: Waarom groeien bananen aan bomen? Omdat ze, als ze op de grond groeiden, meteen zouden worden opgegeten door krokodillen. Waarom glijden ski's op sneeuw? Als ze alleen op kaviaar gleden, zou de wintersport te duur worden.'

Palatino was meteen gegrepen: 'Waarom had Caesar voordat hij stierf nog tijd om te zeggen *tu quoque Brutu*? Omdat het niet Scipio Africanus Maior was die hem al die dolksteken had toegebracht. Waarom schrijven we van links naar rechts? Omdat onze zinnen anders zouden beginnen met een punt. Waarom kruisen parallelle leggers elkaar nooit? Omdat turners als dat wel zo was hun benen zouden breken.'

Iedereen raakte nu enthousiast, en ook Braggadocio deed een duit in het zakje: 'Waarom hebben we tien vingers? Als we er zes hadden, zouden er maar zes geboden zijn en zou stelen bijvoorbeeld niet strafbaar zijn. Waarom is God het allervolmaaktste wezen? Als hij het alleronvolmaaktste zou zijn, was hij mijn neef Gustavo.'

Ik haakte aan: 'Waarom is de whisky uitgevonden in Schotland? Als hij in Japan was uitgevonden zou het sake zijn geweest en die kun je niet drinken met spuitwater. Waarom is de zee zo groot? Omdat er heel veel vissen zijn en het onlogisch zou zijn die op de Sint-Bernhardpas onder te brengen. Waarom kijkt de molenaar uit het raam? Omdat hij niet door de muur kan kijken.'

'Wacht,' zei Palatino, 'waarom zijn glazen aan de bovenkant open en aan de onderkant dicht? Omdat anders alle cafés failliet zouden gaan. Waarom is de moeder altijd de moeder? Als ze soms ook de vader zou zijn, zouden gynaecologen niet meer weten waar ze het zoeken moesten. Waarom groeien nagels wel en tanden niet? Omdat zenuwlijders anders op hun tanden zouden bijten. Waarom zit je kont beneden en je hoofd boven? Als het andersom was, zou het bijna onmogelijk zijn een toilet te ontwerpen. Waarom buigen benen bij de knieën naar binnen en niet naar buiten? Omdat dat in vliegtuigen levensgevaarlijk zou zijn in het geval van een noodlanding. Waarom voer Christoffel Columbus naar het westen? Omdat hij, als hij naar het oosten was gevaren, La Spezia had ontdekt. Waarom hebben vingers nagels? Omdat ze als ze pupillen hadden ogen waren geweest.'

Ze waren nu niet meer te stoppen en Fresia kwam weer met nieuwe voorbeelden: 'Waarom zijn aspirines anders dan leguanen? Stel je eens voor wat er zou gebeuren als dat niet zo was. Waarom sterft de hond op het graf van zijn baas? Omdat daar geen bomen staan om tegen te plassen en zijn blaas na drie dagen knapt. Waarom meet een rechte hoek negentig graden? Verkeerde vraag: hij meet helemaal niks, het zijn de anderen die hém meten.'

'Ho,' zei Simei, die een glimlachje evenwel niet had kunnen onderdrukken. 'Dat is meer iets voor een avondje op de studentensoos. Jullie vergeten dat onze lezer geen intellectueel is die de surrealisten heeft gelezen met hun, hoe heetten die dingen, cadavres exquis. Ze zouden het allemaal serieus nemen en denken dat we gek waren. Vooruit, beste mensen, dit soort gein, daar hebben we niks aan. Laat ons terugkeren naar ernstiger zaken.'

En zo werd de waarom-rubriek de nek omgedraaid. Jammer, het zou vermakelijk zijn geweest. Maar door dat verhaal keek ik wel aandachtiger naar Maia Fresia. Als ze zo geestig was, was ze vast ook lief. En op haar manier was ze dat ook. Hoezo, op haar manier? Wat die manier was, wist ik nog niet, maar mijn nieuwsgierigheid was gewekt.

Maar Fresia voelde zich duidelijk gefrustreerd en kwam weer met een suggestie die in haar straatje paste: 'Binnenkort verschijnt de longlist van de Premio Strega. Zouden we het niet over die boeken moeten hebben?' vroeg ze.

'Jullie jongeren ook altijd met jullie cultuur! Nog een geluk dat u niet bent afgestudeerd, anders zou u me voorstellen een kritisch artikel van vijftig pagina's te plaatsen...'

'Ik ben dan wel niet afgestudeerd, maar ik lees wel.'

'We kunnen ons niet te veel met cultuur bezighouden, onze lezers lezen geen boeken, verder dan *La Gazzetta dello Sport* komen ze niet. Maar ik ben het met u eens dat een cultuurpagina, of liever, een cultuur- en showpagina, in onze krant niet mag ontbreken. Eventuele culturele zaken moeten dan wel worden gebracht in de vorm van interviews. Interviews met schrijvers zijn rustgevend, want geen enkele schrijver kraakt zijn eigen boek af, en dus wordt onze lezer niet blootgesteld aan vernietigende en laatdunkende kritieken vol ressentiment. En verder hangt het af van de vragen, en moet het niet te veel over het boek in kwestie gaan maar een goed beeld schetsen van de schrijver, of de schrijfster, liefst inclusief tics en zwakheden. Juffrouw Fresia, u hebt aardig wat ervaring opgedaan met uw intieme vriendschappen. Denk 'ns na over een, natuurlijk denkbeeldig, interview met een van de genomineerde schrijvers; als ze een liefdesgeschiedenis hebben geschreven, ontlok de schrijver of schrijfster dan een herinnering aan diens eerste liefde, en misschien ook een enkele sneer naar de concurrentie. Maak van dat verdomde boek iets menselijks dat ook huisvrouwen kunnen begrijpen, en doe het zó dat ze later geen spijt krijgen als ze het niet lezen – en trouwens, wie leest er ooit boeken die door kranten gerecenseerd worden? Gewoonlijk doet zelfs de recensent dat niet, en je mag hopen dat de schrijver het zelf heeft gelezen, want als je sommige boeken ziet zou je toch zweren van niet.'

'Ach jezus,' zei Maia Fresia, wit wegtrekkend, 'die verdomde intieme vriendschappen, daar kom ik nooit meer van af...'

'U denkt toch niet dat ik u hierheen heb gehaald om u artikelen over economie of de internationale politiek te laten schrijven?'

‘Nee. Maar ik hoopte dat ik het mis had.’

‘Vooruit, wind u niet op, probeer iets op papier te zetten, we hebben allemaal het volste vertrouwen in u.’

VI

Woensdag 15 april

Ik herinner me nog dat Cambria op een keer zei: 'Ik heb op de radio gehoord dat er onderzoeken zijn die aantonen dat luchtvervuiling van invloed is op de grootte van de penis van de jongere generaties, en dat is volgens mij niet alleen een probleem voor de zoons, maar ook voor hun vaders, die het altijd vol trots over de afmeting van hun zoons piemeltje hebben. Ik weet nog goed dat de mijne werd geboren, in het ziekenhuis, en dat ik, toen ik hem eindelijk te zien kreeg, zei wow wat een enorme kloten heeft hij zeg, en dat ik dat vervolgens aan al mijn collega's vertelde.'

'Alle pasgeboren jongetjes hebben enorme ballen,' zei Simei, 'en alle vaders zeggen hetzelfde. En u weet natuurlijk ook dat ze kindjes in ziekenhuizen vaak verwisselen en dat het wellicht helemaal uw zoon niet was, met alle respect voor uw vrouw.'

'Maar dat bericht gaat wel degelijk de vaders aan, want er

zouden ook schadelijke gevolgen zijn voor het voortplantingsorgaan van volwassenen,' wierp Cambria tegen. 'Als het idee terrein won dat door het vervuilen van de wereld niet alleen de walvissen verdwijnen maar ook, om het maar zo te zeggen, onze jongeheer, dan denk ik dat we nog zullen meemaken dat allerlei mensen zich spontaan ontpoppen tot milieuactivist.'

'Interessant,' zei Simei, 'maar wie zegt ons dat de Commandeur, of liever zijn contacten, geïnteresseerd zijn in het terugdringen van de luchtvervuiling?'

'Er zou een alarmbel bij ze kunnen gaan rinkelen, en terecht,' zei Cambria.

'Wellicht, maar wij zijn geen alarmisten,' was Simeis reactie. 'Nee, dat zou bangmakerij zijn. Wilt u soms vraagtekens plaatsen bij gaspijpleidingen, aardolie, onze ijzer- en staalindustrie? We zijn de krant van de groenen toch niet! Onze lezers dienen te worden gerustgesteld, niet gealarmeerd.' Daarna zei hij, na even te hebben nagedacht: 'Tenzij die dingen die slecht zijn voor de penis gemaakt worden door een farmaceutisch bedrijf dat de Commandeur maar al te graag in staat van alarm zou willen brengen natuurlijk. Maar dat soort zaken moeten we per geval bekijken. Hoe dan ook, als jullie een idee hebben, spui dat dan, en dan besluit ik wel of we het moeten uitwerken of niet.'

De dag daarop was Lucidi op de redactie verschenen met een artikel dat zo goed als af was. Het verhaal ging als volgt. Een kennis van hem had een brief ontvangen met het briefhoofd van de Ordre Souverain Militaire de Saint-Jean de Jérusalem – Chevaliers de Malte – Prieuré Oecuménique de la Sainte-Trinité-de-Villedieu – Quartier Général de la Vallette – Prieuré de Québec, waarin men hem de titel van ridder van Malta aanbood op voorwaarde dat hij ruimhartig zou betalen voor een ingelijst diploma, medaille, onderscheidingsteken en andere parafernalia. Lucidi had zin gekregen om de zaak uit te zoeken, was in de ridderordes gedoken en had ongelofelijke ontdekkingen gedaan.

'Moeten jullie horen. Ik heb een politierapport ingezien, vraag me niet hoe ik het in handen heb gekregen, waarin beschuldigingen worden geuit aan het adres van een aantal Maltezer pseudo-ordes. Het zijn er zestien, die niets te maken hebben met de authentieke Soevereine Militaire Hospitaal Orde van Sint Jan van Jeruzalem, van Rhodos en van Malta die zetelt in Rome. Ze hebben allemaal ongeveer dezelfde naam, met minimale verschillen, ze kennen elkaar allemaal en erkennen elkaar niet. In 1908 sticht een aantal Russen in de Verenigde Staten een orde die de afgelopen jaren is geleid door Zijne Koninklijke Hoogheid prins Roberto Paternò II, Ayerbe Aragona, hertog van Perpignan, hoofd van het koninklijk huis van Aragon, troonpretendent van Aragon en de Balearen, Grootmeester van de Ordes van de Keten van Sint-Agatha van Paternò en van de koninklijke Kroon van de Balearen. Van deze stam scheidt zich in 1934 een Deen af die een nieuwe orde sticht en het kanselierschap ervan overdraagt aan prins Peter van Griekenland en Denemarken. In de jaren zestig sticht een afvallige van de Russische stam, Paul de Granier de Cassagnac, een orde in Frankrijk en kiest als beschermheer de voormalige koning van Joegoslavië, Peter II. In 1965 krijgt de voormalige Peter II van Joegoslavië ruzie met Cassagnac en sticht in New York een nieuwe orde, waarvan Peter van Griekenland en Denemarken in 1970 de grootprior wordt. In 1966 duikt er ene Robert Bassaraba von Brancovan Khimchiacvili op als kanselier van de orde, maar die wordt eruit gewerkt en sticht vervolgens de orde van de Oecumenische Ridders van Malta, waarvan prins Enrico III Costantino di Vigo Lascaris Aleramico Paleologo del Monferrato de Keizerlijke en Koninklijke Beschermheer wordt. Die beweert erfgenaam van de troon van Byzantium en prins van Tessaglia te zijn en zal later een nieuwe Maltezer orde stichten. Verder vind ik een Byzantijns protectoraat; een orde die in het leven is geroepen door prins Carol van Roemenië, die zich heeft afgescheiden van de Cassagnacs; een Groot Prioraat waarvan ene Tonna-Barthet de Grote Baljuw is, en prins Andreas van Joegoslavië – voormalig grootmeester van de door Peter II gestichte orde – die grootmeester is van het Prioraat van Rusland (dat later zal veranderen in Koninklijk Groot Prioraat van Malta en Europa). Er is ook nog een orde die in de jaren zeventig in het leven is geroepen door baron De Choibert en Vittorio Busa, oftewel Viktor Timur II, Orthodox Metropolitaans Aartsbisschop van Bialystok, patriarch van de westerse en oosterse diaspora, president van de republiek van Danzig en van de democratische republiek Wit-Rusland, en Grote Khan van Tartarije en Mongolië. Dan is er nog een Internationaal Groot Prioraat dat in 1971 in het leven is geroepen door voornoemde Zijne Koninklijke Hoogheid Roberto Paternò en de baron markies van Alaro, waarvan een andere Paternò in 1982 Groot Beschermheer wordt, te weten het hoofd van het Keizerlijke Huis Leopardi Tomassini Paternò van Costantinopel, erfgenaam van het Oost-Romeinse rijk, gewijd als wettelijke opvolger door de Apostolische Orthodoxe Katholieke Kerk van de Byzantijnse Ritus, markies van Montaperto, paltsgraaf van de Poolse troon. In 1971 duikt in Malta de Ordre Souverain Militaire de Saint-Jean de Jérusalem op – waar ik mee begon – die een afsplitsing is van de orde van Bassaraba en onder de hoge bescherming staat van Alessandro Licastro Grimaldi Lascaris Comnenos Ventimiglia, hertog van La Chastre, soeverein prins en markies van Déols, en ditmaal is de Grootmeester markies Carlo Stivala de Flavigny, die zich bij de dood van Licastro associeert met Pierre Pasleau die weer de titels aanneemt van Licastro, naast die van Zijne Hoogwaardigheid de Aartsbisschop-patriarch van de Belgische Orthodoxe Katholieke Kerk, Grootmeester van de Soevereine Militaire Orde van de Tempel van Jeruzalem en Grootmeester en Hiërophant van de Universele Vrijmetselaarsorde van de Aloude Oosterse en Primitieve Ritus van het Herenigde Memphis-Misraïm. O, ik vergat nog dat je om *à la page* te zijn ook lid kon worden van de Priorij van Zion, als afstammeling van Jezus Christus, die trouwt met Maria Magdalena en stichter wordt van de Merovingische dynastie.'

'Alleen die namen van al die figuren zouden al nieuws zijn,' zei Simei, die verrukt aantekeningen zat te maken. 'Denkt u zich eens in, mijn besten, Paul de Granier de Cassagnac, Licastro, wat zei u nou precies... Grimaldi Lascaris Comnenos Ventimiglia, Carlo Stivala de Flavigny...'

'... Robert Bassaraba von Brancovan Khimchiacvili,' voegde Lucidi daar triomfantelijk aan toe.

'Ik denk dat veel van onze lezers wel eens in dit soort aanbiedingen zijn getuind,' zei ik, 'en we zouden ze helpen zich tegen die windhandel te wapenen.'

Simei aarzelde even en zei dat hij erover wilde nadenken. Klaarblijkelijk had hij zich de dag erop geïnformeerd, want hij deelde ons mee dat onze uitgever zich Commandeur liet noemen omdat die titel hem was verleend door de commanderij van de Heilige Maria van Bethlehem: 'Nou wil het geval dat de Orde van de Heilige Maria van Bethlehem ook zo'n pseudo-orde is. De oorspronkelijke orde is de door het Pauselijk Jaarboek erkende orde van de Broeders van het Hospitaal van de Heilige Maria der Duitsers in Jeruzalem, oftewel de *Ordo fratrum hospitalis sanctae Mariae Theutonicorum Ierosolimitanorum.* Natuurlijk vertrouw ik zelfs dát niet meer na al het gerommel in het Vaticaan, maar één ding staat vast: commandeur zijn van de Heilige Maria van Bethlehem is zo'n beetje hetzelfde als burgemeester zijn van Duckstad. En jullie willen dat wij een reportage publiceren die een zweem van verdenking zou werpen op de Commanderij van onze Commandeur of, erger nog, die belachelijk zou maken? Laten we ieder in zijn eigen waan laten. Sorry, Lucidi, maar je prachtartikel kan de prullenbak in.'

'Bedoelt u dat we bij elk artikel moeten checken of het de Commandeur al dan niet aanstaat?' vroeg Cambria, die zoals gewoonlijk weer uitblonk in het stellen van domme vragen.

'Allicht,' zei Simei, 'hij is onze referentieaandeelhouder, zoals dat heet.'

Toen trok Maia Fresia de stoute schoenen aan en deed een voorstel voor een mogelijk artikel. Het betrof het volgende: in de buurt van de Porta Ticinese, bij de Navigli waar het steeds toeristischer werd, zat een pizzeria die Carbonara heette. Maia, die daar vlakbij woonde, kwam er al jaren elke dag langs. En al jaren was die gigantische pizzeria – zo op het oog was er plek voor minstens honderd man – bijna helemaal leeg, op een enkele toerist na die aan een tafeltje buiten een kop koffie dronk. Niet dat er binnen nooit een hond zat: Maia was er een keer heengegaan, puur uit nieuwsgierigheid, en toen zat er behalve zijzelf ook nog een gezin te eten, twintig tafeltjes verderop. Ze had – natuurlijk – spaghetti carbonara besteld, een kwart karafje witte wijn en appeltaart, allemaal prima kwaliteit voor een redelijke prijs, en met uiterst vriendelijke obers. Als je zo'n enorme tent drijft, met personeel, de keuken en wat er verder nog bij komt kijken, en er komt jaar in jaar uit amper iemand, dan zou ieder weldenkend mens de boel van de hand doen. Maar Carbonara blijft open, dag in dag uit, misschien al wel tien jaar, al met al zo'n drieduizendzeshonderdvijftig dagen.

'Dat is uitermate raadselachtig,' zei Costanza.

'Valt wel mee,' zei Maia. 'De verklaring laat zich raden, het is een tent van een triade, of van de maffia, of van de camorra, hij is gekocht met vuil geld en is een goede investering die het daglicht kan verdragen. Maar, zullen jullie zeggen, die investering wordt toch al gedekt door de waarde van het etablissement, dus dan kunnen ze het toch net zo goed dicht laten in plaats van nog meer geld over de balk te smijten? Maar nee, het is open. Waarom?'

'Ja, waarom?' vroeg Cambria, wie anders.

Maia's antwoord toonde aan dat het meiske over een aardig stel hersens beschikte. 'Die tent dient om het vuile geld dat constant binnenkomt wit te kunnen wassen. Je bedient de anderhalve klant die elke avond binnenstapt, maar je maakt kassabonnen aan alsof je er wel honderd hebt gehad. Als de kas is opgemaakt, zet je het bedrag op de bank, en wellicht heb je, om met al dat contante geld niet te veel in het oog te lopen – want dan zou er dus niemand met een creditcard hebben betaald – wel rekeningen bij twintig verschillende banken. Over dat inmiddels legale kapitaal betaal je de verschuldigde belasting, nadat je daar eerst met ruime hand alle bedrijfs- en bevoorradingskosten van hebt afgetrokken – zo moeilijk is het niet om aan valse facturen te komen. Het is algemeen bekend dat je bij witwassen een verlies van vijftig procent moet incalculeren. Maar op deze manier verlies je veel en veel minder.'

'Maar hoe kunnen we dat allemaal aantonen?' vroeg Palatino.

'Heel simpel,' zei Maia. 'Twee rechercheurs van de fiscale opsporingsdienst gaan er eten, bijvoorbeeld een man en een vrouw die zich voordoen als een stelletje. Ze geven hun ogen de kost en merken op dat er, zeg, maar twee andere klanten zijn. De dag daarna voert de fiscale opsporingsdienst er een controle uit en ontdekt dat er honderd kassabonnen zijn aangemaakt, en dan wil ik wel eens zien wat ze daarop te zeggen hebben.'

'Zo simpel is het niet,' zei ik. 'Stel, die twee rechercheurs gaan er om een uur of acht heen: hoeveel ze ook eten, na negenen moeten ze toch opstappen, anders is het verdacht. Wie kan bewijzen dat die honderd klanten niet tussen negen en twaalf zijn gekomen? Ergo: je moet er minstens drie of vier recherchekoppels op af sturen om de hele avond te kunnen dekken. Stel nu dat er de dag daarop een controle plaatsvindt, wat gebeurt er dan? Ambtenaren van de fiscale opsporingsdienst wrijven zich in de handen als ze iemand erop kunnen betrappen dat hij zijn inkomsten niet opgeeft, maar wat kunnen ze doen met iemand die te véél opgeeft? De mensen van het restaurant kunnen zeggen dat het machientje had gehaperd en vervolgens op hol was geslagen. Dan wat? Nóg een controle? Die lui zijn niet gek, die hebben tegen die tijd heus wel in de gaten dat ze met rechercheurs van doen hebben, en als ze terugkomen maken ze die avond gewoon geen valse kassabonnen aan. Of de fiscale opsporingsdienst moet hen eerst over een langere periode gaan controleren, maar dan zit de helft van hun mankracht daar avond aan avond pizza te eten. Op die manier zullen ze hen wellicht in de loop van een jaar te gronde kunnen richten, maar het is goed voorstelbaar dat ze het al eerder zat zijn, want ze hebben wel wat anders te doen.'

'Nou ja,' zei Maia gepikeerd, 'de fiscale opsporingsdienst moet zelf maar een list verzinnen, wij hoeven het probleem alleen maar te signaleren.'

'Schoonheid,' zei Simei wellevend, 'ik zal u vertellen wat er gebeurt als we dit publiceren. Ten eerste jagen we de opsporingsdienst tegen ons in het harnas omdat u hun verwijt dat ze het bedrog niet eerder hebben opgemerkt – en die types weten zich te wreken, zo niet op ons, dan toch zeker op de Commandeur. En dan hebben we aan de andere kant, u zei het al, de triades, de camorra, de 'ndrangheta of wat dan ook, en u denkt dat die zich gedeisd zullen houden? En dat wij hier dan doodgemoedereerd op de redactie gaan zitten wachten tot die lui hier een bom komen leggen of iets dergelijks? Weet u wat ik denk? Dat onze lezers het een opwindend idee zullen vinden dat ze goedkoop kunnen gaan eten in een tent uit een detective, dat Carbonara binnen de kortste keren vol uilskuikens zal zitten en dat het enige wat we zullen bereiken is dat die tent loopt als een trein. In de prullenbak ermee dus. Laat het maar rusten, en gaat u verder met de horoscopen.'

VII

Woensdag 15 april, 's avonds

Maia had er zo verbijsterd uitgezien dat ik met haar mee naar buiten was gelopen. Zonder me er rekenschap van te geven stak ik mijn arm door de hare.

'Trek het u niet aan. Vooruit, ik breng u naar huis en dan drinken we onderweg wat.'

'Graag. Ik woon bij de Navigli, en daar stikt het van de cafeetjes, ik ken er een waar ze een uitstekende Bellini maken, mijn favoriete cocktail.'

We liepen langs het water over de Ripa Ticinese; het was de eerste keer dat ik de Navigli zag. Ik had er natuurlijk wel over gehoord, maar dacht dat die kanalen allemaal waren dichtgegooid, en nu had ik opeens het gevoel dat ik door Amsterdam liep. Maia vertelde me met enige trots dat Milaan ooit net zo was geweest als Amsterdam, doorsneden door cirkels van grachten, helemaal tot in het centrum. Het moet schitterend zijn geweest, daarom hield Stendhal zo van de stad. Later werden ze gedempt, uit oogpunt van hygiëne, alleen in deze buurt waren ze nog intact, met smerig water, terwijl er vroeger langs de oevers wasplaatsen waren. Als je wat dieper de buurt in ging zag je op veel plekken nog de oude bebouwing, waaronder heel veel huurkazernes.

Ook de huurkazernes waren voor mij louter *flatus vocis*, beelden uit de jaren vijftig die ik onder ogen had gekregen toen ik nog encyclopedieën herzag en een lemma moest redigeren over de enscenering van Bertolazzi's armeluiskomedie *Ons Milaan* in het Piccolo Teatro. Maar toentertijd dacht ik dat het iets negentiende-eeuws was.

Maia schoot in de lach: 'Milaan staat nog vol huurkazernes, alleen zijn ze niet meer voor de armen. Kom, dan laat ik het u zien.' Ze troonde me mee naar een binnenplaats: 'Hier op de begane grond is alles gerestaureerd, er zitten wat kleine antiquairs – eigenlijk zijn het uitdragers die het hoog in de bol hebben en grof geld vragen – en ateliers van schilders op zoek naar bekendheid. Allemaal toeristenspul. Maar de twee verdiepingen erboven zijn nog precies zoals vroeger.'

Ik keek omhoog en zag rondom galerijen met ijzeren balkonhekken waarop een heleboel deuren uitkwamen, en ik vroeg of ze ook nog steeds hun was buiten te drogen hingen.

Maia lachte: 'We zijn hier niet in Napels. Bijna alles is gerestaureerd, vroeger kwamen de trappen rechtstreeks uit op de galerij, van daaruit ging je de huizen binnen, en aan het eind was één wc voor meerdere gezinnen, en dan bedoel ik een hurk-wc, van een douche of bad was geen sprake. Nu is het allemaal opgeknapt voor de rijken, in sommige appartementen zit zelfs een jacuzzi, en ze kosten een godsvermogen. Waar ik woon is het minder duur. Ik heb een tweekamerwoning waar het water langs de muren druipt en waar we blij mogen zijn dat ze een afvoer voor de wc en de douche hebben laten aanleggen, maar ik ben dol op de buurt. Natuurlijk gaat de boel ook daar binnenkort op de schop, en dan moet ik weg want dan kan ik me de huur niet meer permitteren. Tenzij de *Morgen* heel snel van start gaat en ik er een vaste aanstelling krijg. Daarom verdraag ik al die vernederingen.'

'Trek het u niet aan, het is duidelijk dat we in de aanloopperiode moeten kijken waarover we wel moeten schrijven en waarover niet. En Simei heeft natuurlijk ook verantwoordelijkheden, jegens de krant en jegens de uitgever. Toen u zich nog bezighield met intieme vriendschappen kon wellicht alles ermee door, maar nu is het anders, we hebben het hier over een heuse krant.'

'Daarom hoopte ik eindelijk verlost te zijn van die liefdesshit, ik wilde serieuze journalistiek bedrijven. Maar misschien ben ik gewoon een mislukkeling. Ik ben niet afgestudeerd omdat ik voor mijn oude ouders moest zorgen, daarna was het te laat om mijn studie weer op te pakken, ik woon in een krot, zal nooit verslaggever worden van, ik noem maar wat, de Golfoorlog... Wat doe ik? Horoscopen, ik neem goedgelovigen in de maling. Nou, is dat mislukt of niet?'

'We zijn net begonnen, als we eenmaal op volle toeren draaien krijgt u vast andere taken toegewezen. Vooralsnog bent u met briljante suggesties gekomen, ik vond ze goed en Simei volgens mij ook.'

Ik voelde dat ik loog, ik zou moeten zeggen dat ze zich in een uitzichtloze situatie bevond, dat ze haar nooit naar de Golf zouden sturen, dat ze misschien beter weg kon wezen voordat het te laat was, maar ik wilde haar niet nog verder de put in praten. Opeens had ik sterk de behoefte haar de waarheid te zeggen, niet over haar, maar over mezelf.

Aangezien ik op het punt stond mezelf bloot te geven ging ik er bijna zonder het zelf te merken toe over haar te tutoyeren.

'Kijk naar mij: ik ben ook nooit afgestudeerd, ik heb altijd flutbaantjes gehad en was al in de vijftig toen ik bij een krant terechtkwam. Maar weet je wanneer ik pas echt een loser begon te worden? Op het moment dat ik mezelf begon te zíen als een loser. Als ik me daar niet zo in had vastgebeten, had ik zeker een probleem minder gehad.'

'In de vijftig? Dat is u niet aan te zien. Ik bedoel, dat is je niet aan te zien.'

'Je had me zeker hoogstens negenenveertig gegeven, hè?'

'Nee, sorry, je ben een mooie man en als je ons instrueert kun je merken dat je gevoel voor humor hebt. Wat een teken is van levendigheid, jeugdigheid...'

'Nou, hooguit een teken van wijsheid, en dus van ouderdom.'

'Nee, het is duidelijk dat je niet gelooft in wat je zegt, maar je bent dit avontuur nu eenmaal aangegaan en doet het met... hoe zal ik het zeggen... opgewekt cynisme.'

Opgewekt? Zijzelf was een mengeling van opgewektheid en melancholie en keek me aan met (hoe zou een slechte schrijver dat zeggen?) hertenogen.

Hertenogen? Ach, het is meer dat ze al lopend naar me op keek, omdat ik langer ben dan zij. Dat is alles. Iedere vrouw die dat doet lijkt op Bambi.

Intussen waren we bij haar cafeetje aangekomen, en al snel nipte ze aan haar Bellini en dronk ik rustig van mijn whisky. Ik keek eindelijk weer eens naar een vrouw die geen prostituee was en voelde me met de minuut jonger worden.

Misschien was het de drank, maar inmiddels was ik niet meer te stuiten. Hoe lang had ik al niet vertrouwelijk met iemand gepraat? Ik vertelde haar dat ik ooit getrouwd was geweest en dat mijn vrouw me had laten zitten. Ik zei dat ik voor haar gevallen was omdat ik haar een keer helemaal in het begin, om te rechtvaardigen dat ik ergens een puinhoop van had gemaakt, had gevraagd het me te vergeven omdat ik misschien gewoon een oen was, en zij toen had gezegd ik hou van je, ook al ben je een oen. Zulke dingen kunnen je gek maken van verliefdheid, maar daarna had ze wellicht gemerkt dat ik oeniger was dan zij kon verdragen, en toen was het afgelopen.

Maia lachte ('Wat een mooie liefdesverklaring, ik hou van je, ook al ben je een oen!') en vertelde me vervolgens dat ook zij, al was ze jonger en had ze nooit gedacht dat ze een oen was, ongelukkige liefdesrelaties had gehad, misschien omdat ze niet tegen de oenigheid van anderen kon, of misschien omdat ze alle mannen van haar eigen leeftijd of iets ouder nogal onvolwassen vond. 'Alsof ík volwassen ben. En dus ben ik op mijn bijna dertigste nog vrijgezel. We kunnen blijkbaar nooit tevreden zijn met wat we hebben.'

Dertig? In de tijd van Balzac was een vrouw van dertig al verlept. Maia zag eruit als twintig, al had ze wel wat fijne rimpeltjes rond haar ogen, alsof ze veel had gehuild of lichtschuw was en altijd haar ogen dichtkneep tegen de zon.

'Niks mooiers dan een aangename ontmoeting tussen twee mislukkelingen,' zei ik, en terwijl ik het zei schrok ik van mezelf.

'Zakkenwasser,' zei ze op luchtige toon. Daarna verontschuldigde ze zich, bang dat ze al te familiair was geweest.

'Nee, sterker nog, dank je,' zei ik, 'niemand heeft me ooit op zo'n verleidelijke manier zakkenwasser genoemd.'

Ik was te ver gegaan. Gelukkig veranderde ze snel van onderwerp. 'Ze willen hier o zo graag lijken op Harry's Bar,' zei ze, 'maar ze weten niet eens hoe ze hun drankflessen moeten uitstallen. Zie je, tussen de whisky's staat een Gordon's gin, en de Sapphire en de Tanqueray staan ergens anders.'

'Huh? Waar?' vroeg ik, want ik zag ik alleen maar tafeltjes.

'Nee,' zei ze, 'boven de toog!' Ik draaide me om, ze had gelijk, maar hoe had ze nou kunnen denken dat ik kon zien wat zíj zag? Dat was een eerste aanwijzing voor een ontdekking die ik later zou doen, geholpen door de kletsgrage Braggadocio. Op het moment zelf sloeg ik er niet veel acht op, en ik maakte van de gelegenheid gebruik om de rekening te vragen. Ik zei nog wat troostende woorden tegen haar en vergezelde haar naar een hek dat toegang gaf tot een steegje met de werkplaats van een matrassenmaker. Blijkbaar bestaan die nog, matrassenmakers, ondanks alle tv-reclames voor boxsprings. Ze bedankte me: 'Ik voel me een stuk rustiger,' glimlachte en stak me haar hand toe. Die was warm en erkentelijk.

Ik liep terug naar huis langs de kanalen van een oud Milaan dat welwillender was dan dat van Braggadocio. Ik moest de stad, die zo veel verbluffends herbergde, beslist beter leren kennen.

VIII

Vrijdag 17 april

Terwijl iedereen de daaropvolgende dagen aan zijn huiswerk zat (zo noemden we het inmiddels), onderhield Simei ons over projecten waar geen directe haast bij was, maar waar wel al over moest worden nagedacht.

'Ik weet nog niet of het voor het eerste nummer zal zijn of voor het tweede, al zijn er in het eerste nummer nog heel wat blanco pagina's, niet dat we meteen zestig pagina's hoeven te hebben zoals de *Corriere*, maar vierentwintig moeten we toch kunnen halen. Een aantal daarvan moeten we dan maar vullen met advertenties, en dat niemand die plaatst maakt niet uit, we halen ze gewoon uit andere kranten en doen alsof – dat geeft onze opdrachtgever in een moeite door het vertrouwen dat er een goede inkomstenbron in het verschiet ligt.'

'En een rubriekje met overlijdensberichten,' zei Maia, 'dat is ook geld in het laatje. Laat mij ze maar bedenken. Ik vind het heerlijk om mensen met eigenaardige namen en ontroostbare families te laten sterven, maar het meest hou ik van rouwbetuigingen bij bekende doden, van mensen die helemaal niks hebben met de overledene of met de familie, maar die zo'n advertentie gebruiken om met hun naam in de krant te komen en te laten zien dat zij de overledene ook kenden.'

Scherpzinnig als altijd. Maar na de wandeling van de avond ervoor hield ik een beetje afstand, en zij liet míj ook min of meer links liggen, we voelden ons allebei kwetsbaar.

'Akkoord wat betreft de overlijdensberichten,' zei Simei, 'maar maakt u alstublieft eerst de horoscopen af. Ik dacht ook nog aan iets anders: hoerenkasten. En dan bedoel ik de ouderwetse bordelen, want het woord hoer is nogal aan inflatie onderhevig, jan en alleman wordt tegenwoordig voor hoer uitgemaakt. Nee, dan die ouderwetse staatsbordelen! Ik herinner ze me nog, ik was al volwassen toen ze in 1958 werden gesloten.'

'En ik was al meerderjarig,' zei Braggadocio, 'en ik heb heel wat van die bordelen vanbinnen gezien.'

'Ik bedoel niet die in de Via Chiaravalle, dat was een onvervalst sekshuis, met urinoirs bij de ingang om de troepen in de gelegenheid te stellen hun water te lozen voordat ze naar binnen gingen...'

'... en met vormeloze temeiers die kordaat voor de soldaten en de doodsbange provincialen op en neer paradeerden en hun tong uitstaken, en de madam die steeds maar riep hup jongens, niet alleen kijken...'

'Alstublieft, Braggadocio, er is een dame bij.'

'Misschien kunnen jullie, als jullie erover gaan schrijven,' zei Maia onbekommerd, 'zeggen dat publieke vrouwen van zekere leeftijd er loom maar met een zinnelijke mimiek heen en weer paradeerden voor een door lust verteerde clientèle...'

'Zeer goed, Fresia, niet helemáál zo, maar er moet zeker gezocht worden naar subtieler taalgebruik. Niet in de laatste plaats omdat de meer respectabele huizen me zo bekoorden, zoals dat in de Via San Giovanni sul Muro, jugendstil van onder tot boven, vol intellectuelen die er, zo beweerden ze, niet voor de seks heengingen maar voor het kunsthistorische aspect...'

'Of dat in de Via Fiori Chiari, helemaal art deco, met die veelkleurige tegelplateaus,' zei Braggadocio met een van nostalgie doortrokken stem. 'Wie weet hoeveel van onze lezers zich dat nog herinneren.'

'En wie toentertijd nog niet meerderjarig was, heeft ze gezien in de films van Fellini,' zei ik, want als je zelf ergens geen herinneringen aan bewaart kun je altijd nog bij de kunst te rade gaan.

'Kijkt u er maar eens naar, Braggadocio,' besloot Simei, 'en schrijf een fijne, kleurrijke reportage over dat de goede oude tijd zo slecht nog niet was, of iets van die strekking.'

'Waarom moeten we het in godsnaam over die oude bordelen hebben?' vroeg ik. 'Oude heertjes zullen het misschien opwindend vinden maar de oude vrouwtjes zal het choqueren.'

'Colonna,' zei Simei, 'ik zal u wat vertellen. Nadat ze waren gesloten, kocht iemand zo rond de jaren zestig het oude bordeel in de Via Fiori Chiari en maakte er een restaurant van, heel chic met al die polychrome tegelplateaus. Ze hebben toen een aantal van de oude kabinetjes intact gelaten en de bidets verguld. En u moest eens weten hoeveel vrouwen hun echtgenoten opgewonden vroegen er met hen een kijkje te nemen om te snappen hoe het er in vroeger tijden aan toeging... Natuurlijk was het maar een tijdje leuk en hadden ook de dames er op een gegeven moment genoeg van, of misschien kon de keuken zich niet meten met de entourage. Het restaurant sloot zijn deuren, einde verhaal. Maar luister: ik dacht aan een themapagina, links het stuk van Braggadocio, rechts een artikel over de verloedering van de uitvalswegen waar stoephoeren schaamteloos lopen te tippelen zodat je je kinderen daar 's avonds niet over straat kunt laten gaan. Geen verbindend commentaar, we laten de lezer zijn eigen conclusies trekken, diep in hun hart zijn ze er allemaal voor dat er weer fatsoenlijke bordelen komen, de vrouwen omdat hun mannen dan niet langs de uitvalswegen hoeven te stoppen om daar een snol op te pikken die vervolgens de auto vult met de lucht van haar goedkope parfummetje, de mannen omdat ze er makkelijk naar binnen kunnen glippen – en als tóch iemand je ziet zeg je gewoon dat je er bent vanwege de couleur locale, of desnoods om de jugendstil te bewonderen. Wie doet research naar die snollen?'

Costanza zei dat hij zijn gedachten er wel over wilde laten

gaan en iedereen stemde ermee in; als je een paar nachten over die wegen rondreed kostte je dat een hoop benzine, en bovendien liep je het risico een patrouille van de zedenpolitie tegen het lijf te lopen.

De manier waarop Maia die middag had gekeken, had me getroffen. Alsof ze ineens besefte dat ze in een slangenkuil was beland. Daarom overwon ik mijn schroom, wachtte tot ze wegging, bleef zelf een paar minuten op de stoep staan dralen nadat ik tegen de anderen had gezegd dat ik nog langs een apotheek in het centrum moest, en ging haar toen achterna – ik wist hoe ze zou lopen en haalde haar halverwege in.

'Ik kap ermee,' zei ze. Ze was in tranen en trilde over haar hele lichaam. 'Bij wat voor krant ben ik in jezusnaam terechtgekomen? Met mijn intieme vriendschappen deed ik tenminste niemand kwaad, ze verhoogden hooguit de inkomsten van de dameskappers, waar vrouwen speciaal heengingen om mijn blaadjes te lezen.'

'Maia, vat het toch niet zo zwaar op. Het zijn allemaal gedachte-experimenten van Simei, het is helemaal niet gezegd dat hij al die dingen werkelijk wil publiceren. We zitten in de verzinfase, er worden hypotheses geopperd, scenario's geschetst, het is een goede ervaring, en niemand heeft je gevraagd om als hoer verkleed op uitvalswegen te gaan tippelen met het doel een van hen te interviewen. Alles schiet je vanmiddag in het verkeerde keelgat, je moet er gewoon niet meer aan denken. Zullen we naar de bios?'

'De film die daar draait heb ik al gezien.'

'Daar, waar?'

'Daar aan de overkant, waar we net voorbijkwamen.'

'Ik liep gearmd naast je en keek naar jou, niet naar de overkant. Je bent me ook een mooie!'

'Je ziet nooit wat ik zie,' zei ze. 'Maar goed: een filmpje, prima, laten we een krant kopen en kijken wat er draait in de buurt.'

We gingen naar een film waar ik me niets van herinner omdat ik op een gegeven moment, toen ik merkte dat ze nog steeds zat te trillen, haar hand pakte, die ook nu weer warm en erkentelijk was. We zaten daar als jonggeliefden, maar dan wel uit de tijd van de Ronde Tafel, die sliepen met een zwaard tussen hen in.

Ik bracht haar naar huis en toen we voor de deur stonden – ze was inmiddels een beetje opgemonterd – kuste ik haar kuis op het voorhoofd en gaf haar een tikje op haar wang, zoals het een oudere vriend betaamt. Ik had immers (zo hield ik mezelf voor) haar vader kunnen zijn.

Of bijna.

IX

Vrijdag 24 april

Die week vorderden de werkzaamheden met fikse tussenpozen. Niemand leek erg veel zin in werken te hebben, ook Simei niet. Daar kwam bij: twaalf nummers per jaar was niet een nummer per dag. Ik las de eerste versies van artikelen, trok de stijl gelijk, trachtte al te ver gezochte formuleringen eruit te halen. Simei was het daarmee eens: 'Mijn besten, we bedrijven journalistiek, geen literatuur.'

'Zeg,' zei Costanza, 'die draagbaretelefoonrage grijpt steeds meer om zich heen. Gisteren zat er iemand in de trein, pal naast me, uitgebreid te praten over zijn bankzaken, en zo kwam ik alles over hem te weten. Ik geloof dat de mensen gek aan het worden zijn. We zouden er misschien een kritische beschouwing over moeten schrijven.'

'Die draagbare telefoons,' zei Simei, 'dat is geen blijvertje. Ten eerste kosten ze een fortuin en kunnen maar weinig mensen zich dat veroorloven. Ten tweede zullen de mensen er over niet al te lange tijd achter komen dat het niet per se nodig is om op elk willekeurig moment te kunnen bellen, ze zullen het persoonlijke gesprek van mens tot mens gaan missen en zullen er aan het eind van de maand achter komen dat hun telefoonrekening torenhoog is. Het is een rage die gedoemd is zichzelf binnen één, maximaal twee jaar de nek om te draaien. Ze zijn eigenlijk alleen maar nuttig voor schuinsmarcheerders, om er relaties op na te kunnen houden zonder de telefoon thuis te hoeven gebruiken, en misschien ook wel voor loodgieters omdat die zo op elk moment gebeld kunnen worden, waar ze ook zijn. Verder voor niemand. Dus is ons lezerspubliek, dat er geen heeft, totaal niet geïnteresseerd in zo'n beschouwing, en zullen zij die er wel een hebben er niet koud of warm van worden, sterker nog, ze zullen ons beschouwen als snobs, als *radical chics.*'

'Dat niet alleen,' viel ik hem bij, 'je moet ook bedenken dat mensen als Rockefeller en Agnelli, of de president van de Verenigde Staten, helemaal geen draagbare telefoon nodig hebben, want die hebben een hele stoet secretarissen en secretaresses die hun zaakjes regelen. Dus zal over een tijdje blijken dat ze alleen gebruikt worden door onbenullen, zielenpoten die bereikbaar moeten zijn voor hun bank zodat die hun kan vertellen dat ze rood staan, of voor hun chef die controleert wat ze uitspoken. Daarmee zal de draagbare telefoon tot symbool worden van maatschappelijke minderwaardigheid en zal niemand er nog eentje willen hebben.'

'Daar zou ik maar niet zo zeker van zijn,' zei Maia. 'Het is net als met confectiekleding, of de combinatie T-shirt, spijkerbroek en sjaal: zowel vrouwen uit de jetset als volksvrouwen kunnen zich die veroorloven, met dat verschil dat die tweede groep ze niet weet te combineren, of het beschaafd acht alleen maar spiksplinternieuwe, opzichtige spijkerbroeken te dragen en niet het soort met doorgesleten knieën, en dan ook nog eens met hoge hakken, zodat je in een oogopslag ziet dat ze geen vrouw van standing is. Maar zijzelf heeft dat niet in de gaten en daarom gaat ze lustig door met het dragen van verkeerde combinaties zonder te beseffen dat ze daarmee haar eigen doodvonnis tekent.'

'En als ze dan de *Morgen* inkijkt, leest ze vervolgens dat ze geen dame is. En dat haar man een onbenul is of een schuinsmarcheerder. En stel nou dat Commandeur Vimercate van plan is in de business van de draagbare telefoons te stappen. Dan bewijzen we hem dus niet bepaald een dienst. Dus het onderwerp is óf niet relevant óf we branden onze vingers eraan. Weg ermee. Het is net zoiets als met de computer. De Commandeur heeft erin toegestemd dat we er hier allemaal een hebben; ze zijn handig om mee te schrijven of om gegevens in op te slaan, ook al ben ik van de oude stempel en heb ik nooit enig idee wat ik ermee moet. Maar goed, het merendeel van onze lezers is net als ik en heeft er geen behoefte aan omdat ze geen gegevens hebben die moeten worden opgeslagen. Laten we ons lezerspubliek geen minderwaardigheidscomplex bezorgen.'

Nadat we hadden besloten de elektronica te laten voor wat die was, bogen we ons die dag over een volgens de richtlijnen gecorrigeerd artikel, waarbij Braggadocio opmerkte: 'De toorn van Moskou? Is het niet banaal om altijd zulke gezwollen taal te bezigen? De toorn van de president, de woede van de pensioengerechtigden, en dat soort dingen?'

'Nee,' zei ik, 'dat soort taal verwacht de lezer juist, daar is hij door alle kranten aan gewend geraakt. De lezer begrijpt alleen wat er gebeurt als je dingen zegt als hier lopen we tegen een muur aan, de broekriem moet worden aangehaald, van nu af aan gaat het bergopwaarts, in Rome worden de messen geslepen, Craxi gaat vol in de aanval, de tijd dringt, met demoniseren komen we nergens, het is niet het moment voor klein leed, het water staat ons aan de lippen, ofwel we zitten in het oog van de storm. En een politicus zegt of beweert dingen niet met klem, maar vol vuur. En de politie heeft uiterst professioneel gehandeld.'

'Moeten we het nou áltijd weer over professionaliteit hebben?' zei Maia. 'Iedereen werkt hier professioneel. Als een professionele aannemer een muur laat metselen is het toch logisch dat die niet omvalt? Professionaliteit zou toch gewoon de norm moeten zijn? Het zou alleen vermeldenswaardig moeten zijn als een aannemer zo klunzig is dat hij een muur laat metselen die vervolgens instort. Als ik de loodgieter bel en hij ontstopt mijn wc, dan bedank ik hem en zeg ik goed werk, maar ik ga hem toch niet zeggen dat hij professioneel heeft gehandeld? Al die nadruk op professionaliteit, alsof het iets bijzonders is, maakt dat je denkt dat mensen normaal gesproken prutswerk afleveren.'

'Maar dat ís ook zo,' zei ik, 'de lezers denken inderdaad dat mensen normaal gesproken prutswerk afleveren en dat je gevallen waarin een klus professioneel wordt geklaard eruit moet lichten; het is gewoon een technische manier om te zeggen dat alles goed is verlopen. De politie heeft de kippendief in zijn kraag gegrepen? Een staaltje van professioneel handelen.'

'Dat is hetzelfde als Johannes XXIII "de goede paus" noemen. Daarmee zeg je dat de pausen vóór hem slecht waren.'

'Misschien dachten de mensen dat inderdaad, anders hadden ze hem nooit goede paus genoemd. Heb je wel eens een foto van Pius XII gezien? In een James Bond-film zou hij zo het hoofd van Spectre kunnen zijn.'

'Maar dat Johannes XXIII de goede paus was stond in de kranten, en de mensen hebben dat opgepikt.'

'Precies. Journalisten leren de mensen hoe ze moeten denken,' zei Simei.

'Signaleren journalisten eigenlijk trends, of creëren ze die juist?'

'Allebei, juffrouw Fresia. Mensen weten aanvankelijk niet welke trends ze volgen, dat vertellen wij ze, en dan pas geven ze zich er rekenschap van. Al te veel filosofie komt er niet bij kijken, wij werken professioneel. Toe, ga door, Colonna.'

'Goed,' vervolgde ik, 'ik maak mijn lijstje af: de kool en de geit sparen, het zenuwcentrum, de arena betreden, in het vizier van justitie, politieke stoelendans, licht aan het einde van de tunnel, met de gebakken peren zitten, daar helpt geen lieve moedertje aan, we blijven alert, onkruid dat zich slecht laat uitroeien, de wind waait uit een andere hoek, de tv pikt het leeuwendeel in en laat ons slechts de kruimels, op de goede weg terug zijn, de kijkcijfers zijn gekelderd, een signaal afgeven, het oor naar de markt laten hangen, hij komt er bekaaid af, driehonderdzestig graden gedraaid, een hoofdpijndossier, de omgekeerde exodus heeft zijn aanvang genomen... En met name vergiffenis vragen. De Anglicaanse kerk vraagt Darwin om vergiffenis, de staat Virginia vraagt vergiffenis voor de slavernij, het staatselektriciteitsbedrijf vraagt vergiffenis voor het slechte functioneren, de Canadese regering heeft de Inuit officieel om vergiffenis gevraagd. Je moet niet zeggen dat de kerk haar vroegere inzichten met betrekking tot het draaien van de aarde heeft bijgesteld, maar dat de paus Galilei om vergiffenis heeft gevraagd.'

Maia klapte in haar handen en zei: 'Precies, en ik heb nooit begrepen of die trend van dat vergiffenis vragen nou voortkomt uit een vlaag van nederigheid of juist uit onbeschaamdheid: je doet iets wat je niet zou moeten doen, dan vraag je vergiffenis en trek je je handen ervan af. Het doet me denken aan die oude mop over een cowboy die over de prairie galoppeert en een stem uit de hemel hoort die hem opdraagt naar Abilene te gaan; eenmaal in Abilene zegt de stem dat hij naar de saloon moet gaan en bij de roulette al zijn geld op het getal vijf moet zetten. De cowboy gehoorzaamt, verleid door de hemelse stem, het balletje komt op achttien en de stem fluistert: "jammer, we hebben verloren".'

We lachten, maar daarna gingen we op iets anders over. We lazen Lucidi's artikel over de gebeurtenissen rond de Pio Albergo Trivulzio zorgvuldig door en bediscussieerden het, wat een goed halfuur in beslag nam. Toen Simei daarna in een opwelling van vrijgevigheid voor iedereen koffie had besteld bij het café beneden, fluisterde Maia, die tussen mij en Braggadocio in zat: 'Ik zou juist het tegenovergestelde doen, ik bedoel, als de krant bestemd is voor een ontwikkeld publiek, dan zou ik graag een rubriek schrijven met daarin het tegenovergestelde.'

'Het tegenovergestelde van wat Lucidi beweert?' vroeg Braggadocio bevreemd.

'Nee, nee, hoe komt u daar nou bij? Ik bedoel het tegenovergestelde van gemeenplaatsen.'

'Maar daar hadden we het ruim een halfuur geleden over!' zei Braggadocio.

'Dat is waar, maar ik bleef erover nadenken.'

'Nou, wij niet,' zei Braggadocio kortaf.

Maia leek die tegenwerping niet te deren, ze keek ons aan alsof ze met een stelletje slome duikelaars te maken had: 'Ik bedoel, het tegenovergestelde van het oog van de storm of een minister die vol vuur iets beweert. Dingen als Venetië is het Amsterdam van het zuiden, soms overtreft de fantasie de werkelijkheid, het spreekt dat ik racist ben, heroïne is het voorportaal van hasj, doe alsof u bij mij thuis bent, ik stel voor elkaar te vousvoyeren, beter rijk dan tevreden, ik ben seniel maar niet oud, dat is geen abracadabra voor me, het succes heeft me veranderd, in wezen heeft Mussolini ook een hoop walgelijke dingen uitgehaald, Parijs is lelijk maar de Parijzenaars zijn ontzettend aardig, in Rimini zit iedereen op het strand en zet nooit iemand een voet in de discotheek, hij had zijn hele fortuin doorgesluisd naar Zuid-Italië.'

'Ja, en een hele paddenstoel vergiftigd door een familie. Waar denkt u dat soort onzin vandaan te halen?' vroeg Braggadocio neerbuigend.

'Er stonden er een paar in een boekje dat een tijdje terug is uitgekomen,' zei Maia. 'Sorry, voor de *Morgen* is het natuurlijk niks. Ik kan ook nooit iets zinnigs bedenken. Misschien kan ik maar beter op huis aangaan.'

'Zeg, loop even met me mee op,' zei Braggadocio, 'ik móet je iets vertellen. Als ik het niet vertel ontplof ik nog.'

Een halfuur later zaten we weer bij Moriggi, maar onderweg had Braggadocio niets willen loslaten. Hij had wel gezegd: 'Je hebt zeker wel gemerkt waar die Maia aan lijdt, hè? Ze is autistisch.'

'Autistisch? Autisten zijn naar binnen gekeerd, die communiceren niet. Waarom zou ze autistisch zijn?'

'Ik las laatst over een experiment waarmee je de eerste symptomen van autisme vast kunt stellen. Stel, Jantje, jij en ik bevinden ons in een kamer. Jantje is autistisch. Jij zegt tegen me dat ik ergens een balletje moet verstoppen en dan de kamer uit moet gaan. Ik stop het balletje in een vaas. Als ik eenmaal de kamer uit ben haal jij het balletje uit die vaas en stopt het in een la. Dan zeg je tegen Jantje: als meneer Braggadocio terugkomt, waar denk je dan dat hij dat balletje zal zoeken? En dan zal Jantje zeggen: in de la, toch? Met andere woorden: Jantje kan niet bedenken dat dat balletje in mijn beleving nog in de vaas zit, omdat het in zijn beleving in de la ligt. Jantje kan zich niet in iemand anders verplaatsen, die denkt dat iedereen hetzelfde denkt als hij.'

'Dat is geen autisme, hoor.'

'Ik weet niet wat het wel is, misschien een milde vorm van autisme, zoals lichtgeraaktheid een voorstadium is van paranoia. Maar dat is typisch Maia, ze ontbeert het vermogen dingen vanuit andermans gezichtspunt te zien, ze denkt dat iedereen denkt wat zij denkt. Weet je nog gisteren, toen ze op een zeker moment zei dat hij er niets mee te maken had, en dat die hij iemand was over wie we het een uur daarvoor hadden gehad? Zij was aan die man blijven denken, of hij was haar op dat moment weer te binnen geschoten, maar het kwam niet bij haar op dat het wel eens zo zou kunnen zijn dat wij niet meer aan hem dachten. Ze is op z'n minst gestoord, wat ik je brom. En als ze praat zit jij haar maar aan te kijken alsof ze een orakel is...'

Ik vond het baarlijke nonsens en snoerde hem met een grapje de mond: 'Mensen die orakelen zijn altijd gestoord.

Ze is waarschijnlijk een afstammeling van de Sibille van Cumae.'

We arriveerden bij het restaurant, gingen zitten en Braggadocio stak van wal.

'Ik heb een scoop in handen waarmee we zo honderdduizend exemplaren van de *Morgen* zouden verkopen, als het blad al te koop was. À propos: ik heb raad nodig. Moet ik mijn ontdekkingen aan Simei doorspelen of moet ik proberen ze aan een andere krant te verkopen, een echte? Het is explosief materiaal, over Mussolini.'

'Dat lijkt me niet bepaald een verhaal met een grote actualiteitswaarde.'

'De actualiteit zit hem in de ontdekking dat iemand ons tot op de dag van vandaag een rad voor ogen heeft gedraaid, sterker nog, meerdere mensen, iedereen, eigenlijk.'

'Hoe bedoel je?'

'Het is een lang verhaal en tot op heden heb ik alleen nog een hypothese, maar zonder auto kan ik niet naar de plekken waar ik heen zou moeten om de laatste nog levende getuigen te bevragen. Laten we dus uitgaan van de feiten zoals we die allemaal kennen, en daarna zal ik je vertellen waarom mijn hypothese hout snijdt.'

Braggadocio vatte vervolgens in hoofdlijnen samen wat hij beschouwde als de algemeen erkende versie, een versie die – zei hij – te simpel was om waar te zijn.

De geallieerden breken door de Gotische Linie en rukken

op naar Milaan, de oorlog is verloren en op 18 april 1945 vertrekt Mussolini van het Gardameer naar Milaan, waar hij zich verschanst in de prefectuur. Hij overlegt nog met zijn ministers om een mogelijk laatste verzet te organiseren ergens op een verborgen plek in de Valtellina, maar hij is al voorbereid op het einde. Twee dagen later geeft hij het laatste interview van zijn leven aan de laatste van zijn getrouwen, Gaetano Cabella, hoofdredacteur van de laatste republikeinse krant, de *Popolo di Alessandria*. Op 22 april heeft hij zijn laatste onderhoud met de officieren van de Nationale Republikeinse Garde tegen wie hij, naar het schijnt, zegt: 'Als het vaderland verloren is, heeft leven geen zin meer.'

In de dagen daarop bereiken de geallieerden Parma, Genua wordt bevrijd en ten slotte bezetten arbeiders op de ochtend van de fatale 25ste april de fabrieken in Sesto San Giovanni. In de middag wordt Mussolini samen met enkele van zijn mannen, waaronder generaal Graziani, in het aartsbisschoppelijk paleis ontvangen door kardinaal Schuster, die een ontmoeting voor hem arrangeert met een delegatie van het Comité voor Nationale Bevrijding. Het schijnt dat Sandro Pertini, die verlaat was, Mussolini na afloop van de vergadering op de trap heeft gekruist, maar dat is wellicht een fabeltje. Het Comité voor Nationale Bevrijding verlangt onvoorwaardelijke overgave, en geeft aan dat zelfs de Duitsers al met hen in onderhandeling zijn. De fascisten (de laatst overgeblevenen zijn altijd het vertwijfeldst) wensen zich niet zo smadelijk over te geven, vragen bedenktijd en vertrekken.

Het wordt avond, de leiders van het verzet kunnen niet langer wachten tot hun tegenstanders iets hebben bedacht en geven het bevel tot een algemene opstand. Dat is het moment waarop Mussolini met een konvooi getrouwen naar Como vlucht.

Inmiddels was ook zijn vrouw Rachele in Como aangekomen, met hun kinderen Romano en Anna Maria, maar om onverklaarbare redenen wil Mussolini hen niet zien.

'Waarom niet?' vroeg ik zoals Braggadocio leek te verwachten.

'Tja, waarom niet... Omdat hij wachtte tot hij herenigd zou worden met zijn maîtresse, Claretta Petacci? Maar als die er nog niet was, wat voor moeite was het dan om tien minuten voor zijn gezin uit te trekken? Hou dat in je achterhoofd, want daardoor werd mijn achterdocht gewekt.'

Como leek Mussolini een veilige basis omdat er zich naar men zei maar weinig partizanen in de omgeving bevonden en hij zich er tot de komst van de geallieerden kon schuilhouden. Dat was namelijk Mussolini's grootste zorg: niet in handen vallen van de partizanen maar zich overgeven aan de geallieerden die hem een regulier proces zouden toestaan, en wie dan leeft wie dan zorgt. Of misschien was hij van oordeel dat hij vanuit Como de Valtellina kon bereiken waar ze, zo bezworen getrouwen als Pavolini hem, een sterke verzetsbeweging van een paar duizend man op de been zouden kunnen brengen.

'Maar dan zien ze toch weer van Como af. Ik zal je alle verplaatsingen van dat verdomde konvooi besparen, want ik begrijp er ook geen bal van en voor mijn onderzoek maakt het weinig uit waar ze precies heengaan of naartoe teruggaan. Het volstaat te zeggen dat ze richting Menaggio vertrekken, wellicht in een poging om Zwitserland te bereiken; het konvooi arriveert in Cardano, waar Claretta Petacci zich bij hen voegt, en er verschijnt een Duitse escorte die van Hitler het bevel had gekregen zijn vriend naar Duitsland te begeleiden – wellicht stond er in Chiavenna een vliegtuig voor hem klaar om hem veilig naar Beieren te brengen. Maar iemand beweert dat Chiavenna niet te bereiken is, het konvooi gaat naar Menaggio, 's nachts arriveert Pavolini die eigenlijk versterkingen had moeten meebrengen maar slechts zeven of acht man van de Nationale Garde bij zich heeft. De Duce voelt zich in het nauw gedreven, verzet in de Valtellina ho maar, en hem rest niets anders dan zich met zijn hiërarchen en hun gezinnen aan te sluiten bij een Duitse colonne die zal trachten de Alpen over te steken. Het gaat om achtentwintig trucks met soldaten, machinegeweren op elke truck, en een Italiaanse colonne die bestaat uit een pantserwagen en een tiental burgerauto's. Maar in Musso, nog vóór Dongo, stuit de colonne op de mannen van het detachement Puecher van de 52ste Garibaldi Brigade. Het is een handjevol mannen, hun commandant is Pedro, oftewel graaf Pier Luigi Bellini delle Stelle, en de politiek commissaris is Bill, oftewel Urbano Lazaro. Uit pure wanhoop begint de drieste Pedro te bluffen. Hij maakt de Duitsers wijs dat het in de omliggende bergen wemelt van de partizanen, dreigt met mortiervuur terwijl de mortieren dan nog in Duitse handen zijn, merkt dat de commandant weerstand tracht te bieden maar dat de soldaten het al in hun broek doen, dat die alleen maar het vege lijf willen redden en naar huis willen – en hij blaast alsmaar hoger van de toren... Kort en goed, er volgt enig getouwtrek, daarna wat zenuwslopend overleg dat ik je zal besparen, Pedro overtuigt de Duitsers er niet alleen van dat ze zich moeten overgeven, maar ook dat ze de Italianen die ze op sleeptouw hadden genomen moeten uitleveren. Alleen onder die voorwaarden mogen ze doorrijden naar Dongo, waar ze halt zullen moeten houden om zich te onderwerpen aan een algehele inspectie. Al met al gedragen de Duitsers zich echt schofterig jegens hun bondgenoten, maar ja, als je leven op het spel staat...'

Pedro vraagt niet alleen of ze de Italianen aan hem willen overdragen omdat hij ervan overtuigd is dat het een groep fascistische hiërarchen betreft, maar ook omdat er geruchten de ronde doen dat Mussolini zelf zich in hun midden bevindt. Pedro weet niet of hij dat moet geloven en gaat praten met de commandant van de pantserwagen, Barracu, de ondervoorzitter van de ministerraad van de ter ziele gegane Italiaanse Sociale Republiek, een oorlogsinvalide met een opzichtige gouden medaille, die eigenlijk wel een goede indruk op hem maakt. Barracu wil graag door naar Triëst om die stad te behoeden voor een Joegoslavische invasie, maar Pedro peutert hem vriendelijk aan zijn verstand dat hij gek is, dat hij Triëst nooit zal bereiken en dat hij, mocht hij het wél bereiken, met anderhalve man en een paardenkop tegenover Tito's leger zou komen te staan, waarop Barracu vraagt of hij dan rechtsomkeert mag maken om zich weer bij Graziani te voegen, waar die ook moge uithangen. Het eindigt ermee dat Pedro hem (na eerst de pantserwagen te hebben doorzocht, waar hij Mussolini niet in aantreft) inderdaad toestaat rechtsomkeert te maken, daar hij geen gewapend conflict wil riskeren dat de aandacht van de Duitsers zou kunnen trekken. Als hij wegloopt om iets anders te gaan doen beveelt hij zijn mannen erop toe te zien dat de pantserwagen daadwerkelijk omkeert, en het vuur te openen als hij ook maar één meter vooruitrijdt. Dan schiet de pantserwagen opeens naar voren, of misschien rijdt hij alleen maar even vooruit om gemakkelijker achteruit te kunnen rijden, wie weet wat er werkelijk is gebeurd, de partizanen worden zenuwachtig en openen het vuur, er volgt een korte schotenwisseling, twee dode fascisten en twee gewonde partizanen en ten slotte worden zowel de inzittenden van de pantserwagen als die van de gewone auto's in hechtenis genomen. Een van hen, te weten Pavolini, probeert te ontsnappen en duikt in het meer, maar wordt er weer uit gevist en als een verzopen kat bij de anderen gezet.

Dan ontvangt Pedro een bericht van Bill, uit Dongo. Toen ze de trucks in de Duitse colonne doorzochten was hij aangesproken door een partizaan, ene Giuseppe Negri, die tegen hem had gezegd '*ghè chi el Crapun*', wat dialect is voor 'de dikkop zit erbij', waarmee hij bedoelde dat volgens hem die eigenaardige soldaat met helm, zonnebril en hoog opgetrokken jaskraag niemand minder was dan Mussolini. Bill gaat het controleren, de eigenaardige soldaat houdt zich van de domme maar wordt ten slotte ontmaskerd, hij is het echt, de Duce, en Bill – die niet goed weet wat hij moet doen – probeert het historische moment eer aan te doen door te zeggen: 'In naam van het Italiaanse volk, ik arresteer u.' En hij brengt hem naar het gemeentehuis.

Ondertussen ontdekken ze in Musso dat er in een van de Italiaanse auto's twee vrouwen en twee kinderen zitten, en een vent die beweert de Spaanse consul te zijn die in Zwitserland een belangrijke afspraak heeft met een niet nader genoemde Engelse agent, maar zijn papieren lijken vals en hij wordt luid protesterend in hechtenis genomen.

Pedro en de zijnen beleven weliswaar een historisch moment maar wekken aanvankelijk niet de indruk dat te beseffen, want ze zijn alleen maar bezig met het handhaven van de openbare orde, met het voorkomen van een lynchpartij, met het de gevangenen verzekeren dat hun geen haar zal worden gekrenkt en dat ze aan de Italiaanse regering zullen worden uitgeleverd zodra ze erin slagen die op de hoogte te stellen. Op 27 april 's middags lukt het Pedro inderdaad het nieuws van de aanhouding door te bellen naar Milaan, en dan gaat het Comité voor Nationale Bevrijding zich ermee bemoeien, dat kort daarvoor een telegram van de geallieerden had ontvangen met het verzoek de Duce en alle regeringsleden van de Sociale Republiek uit te leveren, op grond van een bepaling in de door Badoglio en Eisenhower in 1943 ondertekende wapenstilstand ('Benito Mussolini, zijn voornaamste medefascisten [...] die zich nu of in de toekomst op door het geallieerde opperbevel of door de Italiaanse regering gecontroleerd grondgebied bevinden, zullen onmiddellijk in hechtenis worden genomen en worden uitgeleverd aan de troepen van de Verenigde Naties.'). En er werd gezegd dat er elk moment een vliegtuig op het vliegveld van Bresso kon landen om de dictator op te halen. Het Comité voor Nationale Bevrijding was ervan overtuigd dat als Mussolini in handen van de geallieerden zou vallen, hij het er levend vanaf zou brengen, dat hij misschien een paar jaar in een of ander fort zou worden opgesloten en dan weer ten tonele zou verschijnen. Daarom had Luigi Longo (de vertegenwoordiger van de communisten in het Comité) gezegd dat ze Mussolini meteen rücksichtslos om zeep moesten helpen, zonder vorm van proces en zonder er verder een woord aan vuil te maken. Bovendien was de meerderheid van het Comité van mening dat het land op stel en sprong een symbool nodig had, een concreet symbool, om ervan doordrongen te raken dat de twintig fascistische jaren echt voorbij waren: het lijk van de Duce. Overigens waren ze niet alleen bang dat de geallieerden zich Mussolini zouden toe-eigenen, maar ook dat Mussolini's geest, als niet bekend was hoe het met hem was afgelopen, een onstoffelijke maar storende aanwezigheid zou blijven, net als de Frederik Barbarossa uit de legende, die verstopt zit in een grot, klaar om sluimerende verlangens naar de terugkeer van een roemrijk verleden nieuw leven in te blazen.

'En je zult zo zien of die uit Milaan gelijk hadden... Niet iedereen was echter dezelfde mening toegedaan: een van de leden van het Comité, generaal Cadorna, was geneigd de geallieerden hun zin te geven, maar hij was in de minderheid en het Comité besloot een missie naar Como te sturen om Mussolini eigenhandig te executeren. Die patrouille stond, nog steeds volgens de algemeen erkende versie, onder leiding van een gestaald communist, kolonel Valerio, en van politiek commissaris Aldo Lampredi. Ik bespaar je alle verschillende hypotheses, bijvoorbeeld dat de executie niet is uitgevoerd door Valerio maar door iemand die boven hem stond. Er gaan zelfs geruchten dat de werkelijke scherprechter de zoon van Matteotti is geweest of dat Lampredi, het brein achter de missie, het schot heeft gelost. Maar goed, laten we uitgaan van wat er in 1947 is onthuld, te weten dat Valerio de boekhouder Walter Audisio was, die daarna als held zou toetreden tot het parlement, voor de communistische partij. Wat mij betreft maakt het niet veel uit of het nou Valerio was of iemand anders, dus laten we het bij Valerio houden. Valerio vertrekt dus met een peloton naar Dongo. In de tussentijd besluit Pedro, die niet op de hoogte is van de op handen zijnde komst van Valerio, de Duce te verbergen omdat hij vreest dat afdelingen rondzwervende fascisten zullen trachten hem te bevrijden. En om ervoor te zorgen dat de plek waar de man gevangen zal worden gehouden geheim blijft, besluit hij hem eerst, zogenaamd heimelijk maar wel op zo'n manier dat het nieuws zich verspreidt, over te brengen naar de kazerne in Germasino, iets verder het binnenland in. Vervolgens zou de Duce 's nachts moeten worden overgebracht naar een andere plek in de buurt van Como, die wél bij maar heel weinigen bekend was.'

In Germasino is Pedro in de gelegenheid een aantal woorden met de arrestant te wisselen, die hem vraagt zijn groeten over te brengen aan een vrouw die in de auto zat bij de Spaanse consul, en na enige aarzeling geeft hij toe dat het om Claretta Petacci gaat. Als Pedro vervolgens naar Petacci toegaat, wendt ze eerst voor een ander te zijn, maar geeft zich uiteindelijk gewonnen, doet in geuren en kleuren verslag van haar leven naast de Duce en verzoekt ten slotte uiterst hoffelijk met haar geliefde te worden herenigd. De stomverbaasde Pedro stemt daar, na overleg met zijn medewerkers, in toe, geraakt als hij is door dat menselijke relaas. En zo wordt besloten Claretta Petacci die nacht samen met Mussolini over te brengen naar een tweede verblijfsplaats, die echter nooit wordt bereikt omdat het bericht binnenkomt dat de geallieerden al in Como zijn en aldaar doende zijn een laatste brandhaard van fascistisch verzet uit te roeien, reden waarom het twee auto's tellende konvooitje opnieuw koers zet naar het noorden. De auto's stoppen in Azzano en na een kort stuk te voet worden de voortvluchtigen ontvangen door een familie van getrouwen, de De Maria's, en wordt Mussolini en Petacci een kamertje met een tweepersoonsbed ter beschikking gesteld.

Pedro weet niet dat het de laatste keer is dat hij Mussolini zal zien. Hij keert terug naar Dongo, alwaar op het plein een truck arriveert vol gewapende mannen in gloednieuwe uniformen die een groot contrast vormen met de haveloze plunje van de partizanen. De nieuwkomers stellen zich in het gelid op voor het gemeentehuis. Hun leider stelt zich voor als kolonel Valerio, een officier die met volledige bevoegdheden is gestuurd door het hoofdcommando van het CVL, het vrijwilligerscorps voor de vrijheid, legt onberispelijke geloofsbrieven over en zegt dat hij is gestuurd om de gevangenen te fusilleren, allemaal. Pedro probeert zich daartegen te verzetten en eist dat de gevangenen worden uitgeleverd aan iemand die voor een regulier proces kan zorgen, maar Valerio gaat op zijn strepen staan, vraagt om de lijst met arrestanten en zet achter elke naam een zwart kruisje. Pedro ziet dat ook Claretta Petacci ter dood wordt veroordeeld en werpt tegen dat ze slechts de minnares van de dictator is, maar Valerio antwoordt dat het orders zijn van de Milanese legerleiding.

'Let wel: dit is een belangrijk punt, dat glashelder uit Pedro's memoires naar voren komt, want later zal Valerio beweren dat Claretta Petacci zich aan haar minnaar vastklampte, dat hij tegen haar zei dat ze los moest laten, dat ze niet gehoorzaamde en dat ze dus, bij vergissing kun je zeggen, werd gedood, of uit overijverigheid. Maar het is gewoon zo dat ook zij ter dood veroordeeld werd, maar ook dát doet er niet toe; het voornaamste punt is dat Valerio verschillende verhalen opdist en dat we hem dus niet op zijn woord kunnen geloven.'

Dan volgt een reeks warrige gebeurtenissen: als hij op de hoogte wordt gesteld van de aanwezigheid van de vermeende Spaanse consul wil Valerio die zien; hij spreekt hem aan in het Spaans en de ander staat met zijn mond vol tanden, teken dat hij in elk geval geen Spanjaard is, waarop Valerio hem een enorm pak rammel verkoopt en Bill opdraagt de man, die hij voor Vittorio Mussolini houdt, naar de oever van het meer te brengen en hem daar te fusilleren. Onderweg daarheen herkent iemand hem echter als Marcello Petacci, de broer van Claretta, en Bill voert hem weer mee terug, maar helaas: terwijl Petacci raaskalt over de diensten die hij Italië heeft bewezen en over geheime wapens die hij heeft ontdekt en voor Hitler verborgen heeft gehouden, zal Valerio ook hem aan de gelederen van de veroordeelden toevoegen.

Meteen daarna gaat Valerio met zijn mannen naar het huis van de De Maria's, draagt Mussolini en Claretta op in zijn auto te stappen en neemt ze mee naar een weggetje in Giulino di Mezzegra, waar hij ze zegt uit te stappen. Het schijnt dat Mussolini aanvankelijk dacht dat Valerio was gekomen om hem te bevrijden en pas dan begrijpt wat hem te wachten staat. Valerio duwt hem tegen een traliehek en leest hem zijn vonnis voor, terwijl hij hem ondertussen (zou hij later beweren) probeerde te scheiden van Claretta die zich wanhopig aan haar minnaar vastklampt. Valerio schiet, maar zijn machinegeweer blokkeert, hij vraagt Lampredi om een ander en lost vijf schoten op de veroordeelde. Later zal hij zeggen dat Claretta plotseling in de schootslijn was gaan staan en dat ze dus per ongeluk was gedood. Het is 28 april.

'Dit alles weten we alleen uit de getuigenis van Valerio. Volgens hem was Mussolini op het eind een menselijk wrak, volgens later ontstane verhalen zou hij zijn zware legerjas hebben opengerukt en hebben geroepen dat ze op zijn hart moesten richten. In werkelijkheid weet niemand wat er op dat weggetje is gebeurd, behalve zijn scherprechters, maar die lieten zich later alles voorkauwen door communistische partij.'

Valerio keert terug naar Dongo en regelt de executie van alle andere hiërarchen. Barracu vraagt om niet in de rug te worden geschoten, maar wordt teruggeduwd in de groep, Valerio zet ook Marcello Petacci erbij, maar de andere veroordeelden tekenen protest aan omdat zij hem als een verrader beschouwen; god weet wat die kerel allemaal had uitgespookt. Er wordt besloten hem apart te fusilleren. Nadat de anderen zijn gevallen, rukt Petacci zich los en rent de richting uit van het meer, hij wordt gepakt, ontsnapt andermaal, duikt het water in, zet het wanhopig op een zwemmen maar wordt gedood door mitrailleursalvo's en musketschoten. Later laat Pedro, die niet wilde dat zijn manschappen aan de fusillade deelnamen, het lijk opvissen en het op dezelfde truck leggen als waarop Valerio de lijken van de anderen heeft geladen. De truck rijdt vervolgens naar Giulino om ook die van de Duce en Claretta op te halen. Daarna gaat hij naar Milaan, waar de lijken op 29 april worden uitgeladen op Piazzale Loreto, op exact dezelfde plek waar bijna een jaar daarvoor de lijken van vijftien gefusilleerde partizanen waren achtergelaten – de fascistische milities hadden ze de hele dag in de zon laten liggen en hadden hun familieleden belet de stoffelijke resten weg te halen.

Op dit punt aangekomen greep Braggadocio me bij de arm en kneep er zo hard in dat ik me losrukte: 'O, sorry,' zei hij, 'maar nu komt de crux. Let goed op: de laatste keer dat Mussolini in het openbaar werd gezien door mensen die hem kenden was die middag in het aartsbisschoppelijk paleis in Milaan. Daarna heeft hij alleen in gezelschap van getrouwen gereisd, en vanaf het moment dat hij door de Duitsers werd opgepikt en vervolgens werd gearresteerd door de partizanen had niemand met wie hij te maken kreeg hem ooit persoonlijk ontmoet, ze hadden hem alleen maar op foto's of in propagandafilms gezien, en op foto's van de laatste twee jaar zag hij er dermate mager en mat uit dat er gefluisterd werd dat hij, om zo maar te zeggen, niet meer zichzelf was. Ik vertelde je over zijn laatste interview met Cabella, op 20 april, dat Mussolini overleest en parafeert op de 22ste, weet je nog? Welnu, Cabella tekent in zijn memoires op: "Ik zag meteen dat Mussolini in uitstekende gezondheid verkeerde, in tegenstelling tot de geruchten die de ronde deden. Het ging oneindig veel beter met hem dan de laatste keer dat ik hem zag. Dat was in december 1944, ter gelegenheid van zijn toespraak in het Teatro Lirico. De keren daarvoor dat hij me had ontvangen – in februari, in maart en in augustus '44 – had hij er nooit zo patent uitgezien als nu. Hij had een gezonde, gebruinde teint; zijn ogen stonden levendig, zijn bewegingen waren soepel. Hij was ook wat aangekomen. In elk geval was dat magere, dat zijn gelaat er zo smalletjes, zo onderkomen uit had doen zien en dat me in februari van het jaar daarvoor zo had getroffen, verdwenen." We kunnen gevoeglijk aannemen dat Cabella propaganda bedreef en een Duce wilde neerzetten die bij zijn volle verstand was, maar wat lezen we in de memoires van Pedro, als die verslag doet van zijn eerste ontmoeting met de Duce na diens arrestatie? "Hij zit rechts van de deur, naast een grote tafel. Als ik niet had geweten dat hij het was had ik hem misschien niet herkend. Hij is oud, broodmager, bang. Zijn ogen zijn wijd open, maar hij lijkt niet echt iets te zien. Zijn hoofd gaat met vreemde, kleine schokjes van links naar rechts en hij kijkt om zich heen alsof hij bang is…" Oké, hij was net gearresteerd, logisch dat hij bang was, maar sinds dat interview was er pas een week verstreken, en een paar uur daarvoor was hij er nog van overtuigd geweest dat hij de grens kon oversteken. Denk je dat een man in zeven dagen zo kan vermageren? Ergo: de man die met Cabella sprak en de man die met Pedro sprak waren niet een en dezelfde persoon. Let wel: ook Valerio, die een mythe had gefusilleerd, een symbool, de man die had geholpen bij de graanoogst en had verkondigd dat Italië in oorlog was, kende Mussolini niet persoonlijk…'

'Dus jij wilt me vertellen dat er twee Mussolini's waren...'

'We zijn er nog niet. Het nieuws dat de gefusilleerden op Piazzale Loreto liggen, verspreidt zich over de stad, en het plein wordt overspoeld door een deels feestvierende, deels woedende menigte die zo massaal is dat de lijken tot verminkens toe worden vertrapt, worden geschopt, bespuugd en beschimpt. Een vrouw vuurde vijf pistoolschoten op Mussolini af om haar vijf kinderen te wreken die in de oorlog waren omgekomen, een andere vrouw plaste over Claretta Petacci heen. En ten slotte had iemand de doden, om te voorkomen dat ze helemaal uiteengereten zouden worden, aan hun voeten opgehangen aan de overkapping van een benzinestation. En zo zijn ze te zien op foto's uit die tijd, ik heb ze uit de kranten van toen geknipt, kijk, hier zie je Piazzale Loreto en hier de lichamen van Mussolini en Claretta, nadat een partizanenbrigade de lijken de dag daarop heeft weggehaald en naar het mortuarium op Piazzale Gorini heeft overgebracht. Kijk goed naar deze foto's. Het zijn de lichamen van mensen met gedeformeerde gelaatstrekken, eerst door kogels, vervolgens door al dat brute geweld, en daar komt bij: heb je ooit het gezicht gezien van iemand die ondersteboven is gefotografeerd, met de ogen op de plek van de mond en de mond op de plek van de ogen? Zo'n gezicht wordt onherkenbaar.'

'Dus die man op Piazzale Loreto, de man die is gedood door Valerio, was niet Mussolini. Maar toen Claretta Petacci zich bij hem voegde moet ze hem toch hebben herkend?'

'Op Claretta Petacci kom ik nog terug. Laat me je nu mijn

hypothese ontvouwen. Als dictator had de Duce ongetwijfeld een dubbelganger, en wie weet hoe vaak hij daar, om aanslagen te voorkomen, wel niet gebruik van heeft gemaakt, bijvoorbeeld bij officiële parades waar hij, altijd gezien vanuit de verte, staand in een auto langs moest rijden. Stel je nu eens voor dat de Duce, om probleemloos te kunnen ontsnappen, vanaf het moment dat hij naar Como vertrekt niet meer Mussolini is, maar diens dubbelganger?'

'En waar is Mussolini dan?'

'Rustig, daar kom ik zo op. Zijn dubbelganger heeft jarenlang een teruggetrokken leven geleid, werd goed betaald en goed gevoed, en werd uitsluitend bij bepaalde gelegenheden van stal gehaald. De man vóelt zich bijna Mussolini en laat zich overreden om ook deze keer zijn plaats in te nemen omdat niemand, zo legt men hem uit, de Duce ook maar een haar zal durven krenken, zelfs al zou hij voordat hij de grens passeert gevangen worden genomen. Hij dient zijn rol zonder overdrijving te spelen, tot de komst van de geallieerden. Pas dan mag hij zijn identiteit bekendmaken. Hij zal vervolgens nergens van kunnen worden beschuldigd en het zal hem hooguit op een paar maanden concentratiekamp komen te staan. In ruil daarvoor staat er op een Zwitserse bank een lekker spaarpotje op hem te wachten.'

'En de hiërarchen dan die de Duce tot het laatst vergezellen?'

'De hiërarchen hebben in het hele toneelstuk toegestemd om hun leider in staat te stellen te ontsnappen, en als hij eenmaal de geallieerden heeft bereikt zal hij trachten ook hen te redden. Andere mogelijkheid: de grootste fanatiekelingen zijn van plan tot op het laatst verzet te bieden en hebben behoefte aan een geloofwaardig symbool waarmee ze de vertwijfelden die bereid zijn te vechten kunnen bezielen. Nóg een mogelijkheid: Mussolini heeft vanaf het allereerste begin slechts met twee of drie trouwe medewerkers in een auto gezeten en alle andere hiërarchen hebben hem altijd alleen maar vanuit de verte gezien, terwijl hij ook nog eens een zonnebril op had. Ik weet het niet, maar het maakt niet veel uit. Eén ding is zeker: de hypothese van de dubbelganger is de enige die verklaart waarom de pseudo-Mussolini zich in Como niet aan zijn gezin heeft willen vertonen: hij kon het zich niet veroorloven dat het geheim van de verwisseling bekend zou worden binnen de familiekring.'

'En Claretta Petacci?'

'Dat is nog het zieligst van alles. Ze voegt zich bij hem in de veronderstelling dat híj het is, en wordt meteen door iemand geïnstrueerd dat ze net moet doen of de dubbelganger de echte Mussolini is, om het verhaal geloofwaardiger te maken. Ze dient dat tot aan de grens vol te houden, daarna is ze vrij om te gaan.'

'Maar die hele laatste scène dan, dat ze zich aan hem vastklampt en samen met hem wil sterven?'

'Dat is wat kolonel Valerio ons heeft verteld. Ik denk zo dat het de dubbelganger dun door de broek loopt als hij merkt dat hij tegen de muur wordt gezet, en dat hij schreeuwt dat hij

Mussolini niet is. Wat een lafaard, zal Valerio hebben gedacht, die probeert werkelijk álles. Schieten dus maar. Claretta Petacci had er geen belang bij te zeggen dat die vent haar minnaar niet was en zal hem om de nek zijn gevlogen om de scène geloofwaardiger te maken. Ze kon zich waarschijnlijk niet voorstellen dat Valerio ook op haar zou schieten, maar je weet maar nooit, vrouwen zijn nu eenmaal van nature hysterisch, misschien is ze buiten zinnen geraakt en zat er voor Valerio niets anders op dan dat opgewonden mens met een salvo het zwijgen op te leggen. Of wat denk je hiervan: Valerio is zich tegen die tijd weliswaar bewust van de persoonsverwisseling, maar was eropuit gestuurd om Mussolini te doden, hij, als enige van alle Italianen daartoe uitverkoren, en nu moest hij afzien van de roem die hem wachtte? En dus speelt ook hij het spel mee. Als een dubbelganger zo sprekend op de echte persoon lijkt dan zal hij als hij dood is nóg meer op hem lijken. Wie zal zijn woorden ooit in twijfel trekken? Het Comité voor Nationale Bevrijding had een lijk nodig, en zou er een krijgen. Mocht de echte Mussolini op een dag opduiken, dan kon men altijd nog zeggen dat híj de dubbelganger was.'

'En de echte Mussolini?'

'Dat deel van mijn hypothese moet ik nog uitwerken. Ik moet verklaren hoe hij erin geslaagd is te ontsnappen, en wie hem heeft geholpen. In grote lijnen zit het zo: de geallieerden willen niet dat Mussolini door de partizanen wordt gepakt omdat hij dingen kan onthullen die hen in verlegenheid kunnen brengen, denk bijvoorbeeld aan zijn briefwisseling met

Churchill en wie weet wat voor andere onfrisse zaakjes nog meer. En dat zou op zich al een goede reden zijn. Maar bovenal vangt met de bevrijding van Milaan de echte Koude Oorlog aan. Niet alleen naderen de Russen Berlijn en hebben ze al half Europa in handen, maar het overgrote deel van de partizanen is communist, ze zijn tot de tanden toe gewapend: een vijfde colonne die klaarstaat om ook Italië aan de Russen uit te leveren. En dus moeten de geallieerden, of op zijn minst de Amerikanen, een mogelijk verzet op poten zetten om een Sovjetgezinde revolutie tegen te gaan. En daar hebben ze ook fascistische oud-strijders voor nodig. Trouwens, ze redden toch ook naziwetenschappers, zoals Von Braun, en brengen die naar Amerika over om daar de verovering van de ruimte voor te bereiden? Amerikaanse geheim agenten kijken niet zo nauw. Mussolini zou, in een situatie waarin hij als vijand geen kwaad zou kunnen doen, vroeg of laat als vriend nog van pas kunnen komen. Dus moeten ze hem Italië uitsmokkelen en hem, hoe zeg je dat, een tijdje ergens op een zijspoor parkeren.'

'Maar hoe dan?'

'Jezus, man! Wie had zich nou opgeworpen om ervoor te zorgen dat een en ander niet uit de hand zou lopen? De aartsbisschop van Milaan, die zonder twijfel handelde op instigatie van het Vaticaan. En wie heeft een heleboel nazi's en fascisten helpen ontvluchten naar Argentinië? Het Vaticaan. Stel je nu het volgende voor: bij het verlaten van het bisschoppelijk paleis laten ze de dubbelganger in Mussolini's auto stappen, terwijl Mussolini in een andere minder opvallende auto naar het Castello Sforzesco wordt gebracht.'

'Waarom dáárheen?'

'Omdat je van het bisschoppelijk paleis, als je langs de Dom rijdt, Piazza Cordusio oversteekt en de Via Dante inslaat, in vijf minuten bij het Castello bent. Veel makkelijker dan naar Como gaan, toch? En onder het Castello zit een enorm gangenstelsel, ook nu nog. Sommige van die gangen zijn bekend en doen zo'n beetje dienst als vuilnisbelt, andere werden tot aan het eind van de oorlog bij luchtaanvallen als schuilkelders gebruikt. In veel documenten is te vinden dat er zich in vroeger eeuwen allerlei ondergrondse passages bevonden, onvervalste tunnels die van het Castello naar andere delen van de stad leidden. Een daarvan bestaat naar men zegt nog steeds en zou van het Castello naar het klooster van Santa Maria delle Grazie lopen, maar de ingang ervan is niet meer te vinden omdat er delen van zijn ingestort. Daar wordt Mussolini een paar dagen verstopt terwijl iedereen in het noorden naar hem op zoek is en zijn dubbelganger op Piazzale Loreto uiteen wordt gereten. Zodra de situatie in Milaan is gekalmeerd, haalt een auto met een kenteken van het Vaticaan hem 's nachts op. De wegen zijn wat ze toentertijd waren, maar van pastorie naar pastorie en van klooster naar klooster rijdend bereiken ze ten slotte Rome. Mussolini verdwijnt binnen de Vaticaanse muren, en ik laat aan jou de keuze voor de beste oplossing: of hij blijft daar, wellicht vermomd als ziekelijke, oude monseigneur, of ze verschepen hem als een krakkemikkige frater, een misantroop met monnikskap en een fraaie baard, naar Argentinië. En daar wacht hij.'

'Op wat?'

'Dat vertel ik je later, ik heb mijn hypothese pas tot op dit punt uitgewerkt.'

'Maar om een hypothese te kunnen onderbouwen heb je toch op zijn minst een paar bewijzen nodig.'

'Die krijg ik ook, over een paar dagen, ik moet alleen nog wat archieven en kranten uit die tijd raadplegen. Morgen is het 25 april, de fatale datum. Dan heb ik een afspraak met iemand die op de hoogte is van alle ins en outs van die periode. Ik zal aantonen dat het lijk op Piazzale Loreto niet dat van Mussolini was.'

'Je moest toch een artikel schrijven over die oude bordelen?'

'De bordelen, die kan ik dromen, dat artikel heb ik zondag in een uurtje op papier staan. Nou, bedankt dat je hebt willen luisteren, ik moest het echt even aan iemand kwijt.'

Weer liet hij mij de rekening betalen, en in wezen had hij het verdiend. We liepen naar buiten, hij keek om zich heen en vertrok. Hij liep vlak langs de huizen, alsof hij bang was te worden gevolgd.

X

Zondag 3 mei

Braggadocio was gek. Maar hij moest me de afloop nog vertellen en dus zat er niets anders op dan af te wachten. Zijn verhaal mocht dan wellicht verzonnen zijn, het had wel romanpotentie. We zouden zien.

Overigens, gek of niet, ik was niet vergeten wat hij gezegd had over het vermeende autisme van Maia. Ik hield mezelf voor dat ik me in haar psyche wilde verdiepen, maar inmiddels weet ik dat ik iets heel anders wilde. Die avond vergezelde ik haar weer naar huis en bleef ik niet bij het hek staan maar stak samen met haar de binnenplaats over. Onder een afdakje stond een behoorlijk aftandse rode Fiat 500. 'Dat is mijn Jaguar,' zei Maia. 'Hij is iets van twintig jaar oud, maar hij rijdt nog steeds, als ik hem maar elk jaar laat nakijken; hier in de buurt zit een garage die de oude onderdelen nog heeft. Het zou een hele hoop geld kosten om hem echt goed op te knappen, maar hij wordt vanzelf antiquarisch en dan verkoop ik hem voor een liefhebbersprijs. Ik gebruik hem alleen om naar het Ortameer te gaan. Je wist het misschien niet, maar ik heb geërfd. Mijn grootmoeder heeft me daar in de bergen een huisje nagelaten, weinig meer dan een hut, als ik het verkocht zou het niet veel opleveren, maar ik heb het beetje bij beetje ingericht, er is een open haard, een oude zwart-wittelevisie en door het raam zie je het meer en het eiland San Giulio. Het is mijn *buen retiro*, ik ga er bijna elk weekend heen. Zeg, waarom ga je niet mee, zondag? We gaan vroeg op pad, ik maak een lekker middagmaaltje – ik kook niet onaardig – en tegen etenstijd zijn we terug in Milaan.'

Toen we zondagochtend in de auto zaten zei Maia, die reed, op een gegeven moment: 'Zag je dat? Nu staat het op instorten, maar jaren geleden was het nog prachtig steenrood.'

'Wat?'

'Dat wegwerkershuis, we reden er net voorbij, aan de linkerkant.'

'Hallo! Als het links was, kon alleen jij het zien, ik zie alleen maar wat er rechts is. In dit poppenwagentje zou ik om te zien wat er links is zo ongeveer over je heen moeten klimmen! Je snapt toch wel dat ik dat huis helemaal niet kon zien?'

'Als jij het zegt,' zei ze, alsof ik een beetje eigenaardig was.

En dus zag ik me gedwongen haar te vertellen wat haar probleem was.

'Ach welnee,' antwoordde ze lachend, 'het komt gewoon

doordat ik je inmiddels beschouw als mijn beschermheer en door die vertrouwdheid denk ik dat jij altijd denkt wat ik denk.'

Ik schrok even. Ik wilde helemaal niet dat ze dacht dat ik dacht wat zij dacht. Dat was al te intiem.

Maar tegelijkertijd overviel me een soort vertedering. Ik voelde dat Maia weerloos was, zo weerloos dat ze haar heil zocht in een eigen binnenwereld, zonder te willen zien wat er gebeurde in die van anderen, die haar misschien wel gekwetst hadden. Hoe het ook zij, míj schonk ze haar vertrouwen, en ze droomde ervan dat ik haar wereld zou betreden, omdat ze de mijne niet kon of misschien wel niet wilde betreden.

Toen we het huisje binnengingen voelde ik me enigszins ongemakkelijk. Het was charmant, zij het enigszins spartaans. Het was nog maar begin mei en buiten was het nog fris. Ze maakte de open haard aan en zodra het vuur opvlamde, richtte ze zich weer op en keek me gelukkig aan, met een gezicht dat nog verhit was door de eerste gloed: 'Ik... ben blij,' zei ze, en die blijheid maakte dat ik voor de bijl ging.

'Ik... ben ook blij,' zei ik. Daarna legde ik mijn handen op haar schouders en voordat ik er erg in had kuste ik haar; ik voelde hoe ze zich tegen me aan drukte en hoe tenger ze was. Braggadocio had het mis: ze had wel degelijk borsten; ik voelde ze, klein maar stevig. Het Hooglied: als de tweeling van een gazelle.

'Ik ben blij,' zei ze weer.

Ik wierp een laatste barrière op: 'Besef je wel dat ik je vader had kunnen zijn?'

'Heerlijk, incest,' zei ze.

Ze ging op bed zitten en schopte met een handige beweging haar schoenen uit. Misschien had Braggadocio wel gelijk en was ze gek, maar dat gebaar dwong me tot overgave.

De lunch sloegen we over. We lagen tot de avond inviel in haar knusse bed en het kwam niet bij ons op naar Milaan terug te keren. Ze had me in haar netten gevangen. Ik had het gevoel dat ik twintig was, of op zijn hoogst dertig, net als zij.

'Maia,' zei ik de volgende ochtend op de terugweg, 'we moeten bij Simei blijven werken tot ik wat geld bij elkaar heb gesprokkeld, en dan haal ik je weg uit die slangenkuil. Hou nog even vol. Daarna zien we wel, misschien kunnen we wel naar een eiland in de Stille Zuidzee.'

'Daar geloof ik niks van, maar het is leuk om erover te fantaseren, Tusitala. Zolang jij maar in de buurt bent, verdraag ik zelfs Simei en schrijf ik braaf mijn horoscopen.'

XI

Vrijdag 8 mei

De ochtend van de 5e mei maakte Simei een opgewonden indruk. 'Ik heb een opdracht voor een van jullie, Palatino bijvoorbeeld, die op het moment toch niets te doen heeft. Jullie hebben vast wel gelezen dat in de afgelopen maanden – in februari was het dus vers nieuws – een rechter-commissaris uit Rimini een onderzoek heeft ingesteld naar de bedrijfsvoering van een aantal rusthuizen. Een scoop, na die kwestie met de Pio Albergo Trivulzio. Geen van die huizen is eigendom van onze uitgever, maar jullie weten waarschijnlijk dat hij wel andere rusthuizen bezit, eveneens aan de Adriatische kust. Het zou zomaar kunnen dat die rechter-commissaris uit Rimini op een goede dag zijn neus ook in de zaken van de Commandeur steekt. Als we het blazoen van zo'n nieuwsgierige rechter-commissaris ook maar enigszins zouden kunnen besmeuren, zal dat onze uitgever dus niet onwelgevallig zijn. Let wel: om vandaag de dag een aanklacht te weerleggen hoef je niet noodzakelijkerwijs je onschuld te bewijzen, het volstaat de aanklager te wraken. Afijn, ik heb hier de voor- en achternaam van die vent, en Palatino gaat naar Rimini, met een bandrecorder en een fototoestel. Volg het doen en laten van die onkreukbare staatsdienaar op de voet; niemand is ooit honderd procent onkreukbaar, hij zal dan misschien geen pedofiel zijn, zijn oma niet hebben vermoord en geen smeergeld hebben aangenomen, maar iets abnormaals heeft hij zeker gedaan. En anders moeten we zijn dagelijkse bezigheden maar verabnormaliseren, als ik het zo mag zeggen. Palatino, gebruik uw fantasie. Begrepen?'

Drie dagen later kwam Palatino terug met uiterst sappige berichten. Hij had de rechter-commissaris gefotografeerd terwijl die op een parkbankje gezeten zenuwachtig de ene sigaret na de andere rookte, met aan zijn voeten een tiental peuken. Palatino wist niet of zoiets van belang zou kunnen zijn, maar Simei zei van wel, een man van wie we weloverwogen beslissingen en objectiviteit verwachten wekte de indruk een neuroot te zijn, en ook nog eens een luiwammes die in plaats van boven dossiers te zitten zweten een beetje loopt te flierefluiten. Palatino had hem ook gefotografeerd door een ruit terwijl hij in een Chinees restaurant zat te eten. Met stokjes.

'Geweldig,' zei Simei, 'onze lezers gaan nooit naar Chinese restaurants, misschien heb je die bij hen in de buurt niet eens, en het zou niet bij ze opkomen om als een barbaar met stokjes te eten. En waarom begeeft die man zich in Chinese kringen, zullen de lezers zich afvragen. Als hij een serieuze rechter-commissaris is, waarom eet hij dan geen pizza of spaghetti, zoals iedereen?'

'En dat is nog niet alles,' voegde Palatino eraan toe, 'hij droeg ook grasgroene sokken, of hoe zeg je dat, nou ja, gifgroen, en bordeelsluipers.'

'Bordeelsluipers! En gifgroene sokken!' jubelde Simei. 'De man is een dandy, of een hippie, zoals dat vroeger heette. Dan is er niet veel voor nodig om te bedenken dat hij ook hasj rookt. Maar dat zeggen we niet, die conclusie moet de lezer zelf trekken. Werk met die elementen, Palatino, schets een portret vol duistere details, en van die man hebben we geen last meer. Van non-nieuws hebben we nieuws gemaakt. En zonder te liegen. Ik denk dat de Commandeur tevreden over u zal zijn. En over ons allemaal, dat spreekt.'

Lucidi merkte op: 'Een serieuze krant moet over dossiers beschikken.'

'Hoe bedoelt u?' vroeg Simei.

'Nou, met postuumpjes bijvoorbeeld. Er mag bij een krant geen paniek uitbreken omdat om tien uur 's avonds het bericht binnenkomt dat een belangrijk persoon is overleden en niemand in staat is om in een halfuur een ter zake doende necrologie in elkaar te draaien. Daarom worden een heleboel necrologieën, oftewel postuumpjes, op voorhand geschreven, zodat er, als iemand onverwachts sterft, al een necrologie klaarligt en je alleen nog maar het tijdstip van overlijden hoeft in te vullen.'

'Maar wij hebben bij onze nulnummers geen tijdsdruk. Als we er een voor een bepaalde datum maken, hoef je alleen maar in de kranten van de betreffende dag te kijken en we hebben onze postuumpjes al,' zei ik.

'En we plaatsen ze alleen als het gaat om, weet ik het, het overlijden van een minister of een grootindustrieel,' legde Simei uit, 'en niet als er een tweederangs rijmelaar overlijdt van wie onze lezers nog nooit hebben gehoord. Die dienen alleen als bladvulling voor de culturele pagina's die de grote kranten elke dag weer moeten zien vol te krijgen met onbelangrijke berichten en commentaren.'

'Toch blijf ik erbij,' zei Lucidi, 'die postuumpjes waren maar een voorbeeld, maar dossiers zijn belangrijk, want dan heb je over een bepaald persoon allerlei gevoelige informatie die kan dienen voor verschillende soorten artikelen. Zo vermijd je dat je op het laatste moment nog research moet doen.'

'Ik snap het,' zei Simei, 'maar die luxe kunnen alleen grote kranten zich permitteren. Een dossier brengt een lawine aan research met zich mee, en ik kan moeilijk iemand van jullie opdracht geven de godganse dag dossiers te gaan zitten samenstellen.'

'Helemaal niet,' glimlachte Lucidi. 'Het samenstellen van een dossier kan ook gedaan worden door een student die je voor een grijpstuiver hemerotheken laat afgrazen. U denkt toch niet dat dossiers, en dan bedoel ik niet alleen die van kranten, maar zelfs die van geheime diensten, onbekende nieuwsfeiten bevatten? Ook bij de geheime dienst hebben ze wel wat beters te doen! Een dossier bevat krantenknipsels, artikelen waarin wordt gezegd wat iedereen al weet. Behalve dan de minister of oppositieleider voor wie ze bestemd zijn, want die hebben nooit tijd om de krant te lezen en beschouwen die dingen als staatsgeheimen. Dossiers bevatten uiteenlopende berichten die de persoon die er zijn informatie uit put zo moet zien uit te werken dat er verdenkingen en toespelingen uit naar voren komen. In het ene knipsel staat dat x jaren geleden is beboet voor te hard rijden, in een ander dat hij vorige maand een padvinderskamp heeft bezocht en in weer een ander dat hij gisteren in een discotheek is gezien. Een prima uitgangspunt om te suggereren dat de man roekeloos is en de wet overtreedt om zich naar plekken te begeven waar gedronken wordt, en dat hij waarschijnlijk, ik zeg waarschijnlijk maar het is overduidelijk, van jonge jongens houdt. Genoeg om hem in diskrediet te brengen. Door louter de waarheid te spreken. Bovendien schuilt de kracht van een dossier erin dat je het niet eens hoeft te laten zien: je hoeft alleen maar het gerucht te verspreiden dat het bestaat en dat het zogezegd interessante feiten bevat. x komt erachter dat je dingen van hem weet, hij weet niet welke, maar iedereen heeft wel een lijk in de kast, en hij zit klem: zodra je hem iets vraagt zal hij zich de redelijkheid zelve betonen.'

'Die dossiers, daar zie ik wel wat in,' merkte Simei op. 'Onze uitgever zal vermoedelijk blij zijn met middelen die hem in staat stellen de mensen die hem niet mogen, of die hij niet mag, de mond te snoeren. Colonna, wees zo goed een lijst op te stellen van mensen met wie onze uitgever mogelijkerwijs te maken krijgt, ga op zoek naar een eeuwige student die op zwart zaad zit en laat hem een tiental dossiers samenstellen, dat moet voorlopig genoeg zijn. Het lijkt me een prima initiatief, en niet duur.'

'Zo gaat dat in de politiek,' besloot Lucidi, met het air van iemand die weet hoe het in de wereld toegaat.

'En juffrouw Fresia,' grijnsde Simei, 'kijk niet zo gechoqueerd. Denkt u soms dat roddelbladen geen dossiers hebben? U mag er dan op uit zijn gestuurd om twee acteurs te fotograferen, of een showballetmeisje en een voetballer die desgevraagd wel hand in hand wilden lopen, maar om die zover te krijgen dat ze daadwerkelijk kwamen opdagen en niet protesteerden, had uw directeur hun medegedeeld dat ze daarmee konden voorkomen dat er intiemere details over hen zouden worden verspreid, bijvoorbeeld dat het meisje jaren daarvoor in een bordeel was aangetroffen.'

Met een blik op Maia besloot Lucidi, die wellicht toch niet helemaal harteloos was, een ander onderwerp aan te snijden.

'Ik heb vandaag nog meer interessants, vanzelfsprekend uit mijn persoonlijke dossiers. Op 15 juni '90 laat markies Alessandro Gerini een grote erfenis na aan de Gerini Stichting, een kerkelijke instantie onder toezicht van de Salesiaanse Congregatie. Tot op de dag van vandaag weet men niet waar dat geld is gebleven. Er wordt geïnsinueerd dat de Salesianen het wel hebben ontvangen maar om belastingtechnische redenen doen alsof dat niet zo is. Waarschijnlijker is dat ze het nog niet hebben gekregen, en er wordt gefluisterd dat de overdracht afhangt van een mysterieuze bemiddelaar, vermoedelijk een advocaat, die evenwel een provisie zou vragen die nog het meest weg heeft van ordinair smeergeld. Andere stemmen beweren dat de operatie de steun zou hebben van bepaalde kringen binnen de congregatie, en dan zou er dus sprake zijn van een illegale verdeling van de poet. Tot op heden zijn dat nog slechts geruchten, maar ik kan kijken of ik iemand kan vinden die wil praten.'

'Doe dat vooral,' zei Simei, 'maar zorg ervoor dat u niet in conflict komt met de Salesianen en met het Vaticaan. Desnoods noemen we het stuk "Salesianen slachtoffer van oplichting", met een vraagteken. Dan krijgen we geen problemen met ze.'

'En als we het nou eens "Salesianen in het oog van de storm" noemden?' vroeg Cambria, wat zoals gewoonlijk nergens op sloeg.

Ik reageerde streng: 'Ik dacht dat ik duidelijk was geweest. In het oog van de storm betekent voor onze lezers zwaar in de problemen, en iemand kan ook door zijn eigen schuld zwaar in de problemen zijn geraakt.'

'Inderdaad,' zei Simei. 'Laten we ons beperken tot het verspreiden van algemene verdenkingen. Hier vist iemand in troebel water, en ook al weten we niet wie dat is, we zullen hem zeker angst aanjagen. Dat volstaat. Vervolgens cashen we op het juiste moment, of liever, onze uitgever casht. Prima, Lucidi, ga er maar mee door. Denk eraan, het grootste respect voor de Salesianen, maar als ook zij een beetje ongerust worden kan dat geen kwaad.'

'Sorry,' vroeg Maia schuchter, 'maar die politiek, om het maar zo te noemen, van dubieuze dossiers en geïnsinueer, keurt onze uitgever die goed, of zal hij dat doen? Het is maar een vraag hoor…'

'Wij zijn onze uitgever geen verantwoording schuldig voor onze journalistieke keuzes,' reageerde Simei verontwaardigd. 'De Commandeur heeft nooit getracht me op wat voor manier dan ook te beïnvloeden. Vooruit, aan het werk.'

Die dag had ik ook nog een privéonderhoud met Simei. Ik was zeker niet vergeten waarom ik daar was en had al een opzet gemaakt voor een aantal hoofdstukken van het boek *Morgen: gisteren.* Ik had in grote lijnen de redactievergaderingen beschreven die er waren geweest, maar had de rollen omgedraaid en Simei afgeschilderd als voorvechter van de grootst mogelijke journalistieke openheid, terwijl zijn medewerkers hem tot voorzichtigheid maanden. Ik overwoog zelfs een allerlaatste hoofdstuk toe te voegen waarin een hooggeplaatste geestelijke uit Salesiaanse kringen hem opbelt en op suikerzoete toon verzoekt zich niet in te laten met die akelige affaire rond markies Gerini. Om nog maar te zwijgen van andere telefoontjes waarin hem vriendelijk te kennen was gegeven dat het geen goed idee was de Pio Albergo Trivulzio door het slijk te halen. Waarop Simei net zo had gereageerd als Humphrey Bogart in die ene film: '*That's the press, baby, the press, and there is nothing you can do about it!*'

'Schitterend,' was Simei's opgewonden commentaar, 'u bent een waardevol medewerker, Colonna, laten we deze toon vasthouden.'

Natuurlijk voelde ik me nog meer vernederd dan Maia die horoscopen moest schrijven, maar ik had A gezegd en moest dus ook B zeggen. Ook met het oog op dat eiland ergens in de Stille Zuidzee. Al zou een loser zoals ik met de Palmenriviera ook al heel tevreden zijn.

XII

Maandag 11 mei

De maandag daarop riep Simei ons bijeen: 'Costanza,' zei hij, 'in uw artikel over de stoephoeren zegt u dingen als er een puinbak van maken, klotenstreek en gelul, en voert u een snolletje op dat opsodemieteren zegt.'

'Maar dat zégt ze!' protesteerde Costanza. 'Iedereen gebruikt tegenwoordig dat soort krachttermen, ook op tv, zelfs keurige dames zeggen gewoon shit.'

'Wat ze in de hogere kringen doen interesseert ons niet. Wij moeten ons richten op lezers die nog bang zijn voor krachttermen. Probeer de zaken te omschrijven. Colonna?'

Ik vulde aan: 'We kunnen prima dingen zeggen als chaos alom, razernij, in de ruimte kletsen en loop naar de maan.'

'Wie weet wat ze daar uitspoken op de maan,' grinnikte Braggadocio.

'Wat ze daar uitspoken, daar hoeven we het niet over te hebben,' zei Simei.

Daarna gingen we over op een ander onderwerp. Toen de vergadering een uur later was afgelopen nam Maia Braggadocio en mij apart: 'Ik ga op vergaderingen niets meer inbrengen want ik zeg toch altijd de verkeerde dingen, maar het zou de moeite waard zijn om een lijst met substituutwoorden op te nemen.'

'Substituut waarvoor?' vroeg Braggadocio.

'Voor die krachttermen waar we het net over hadden.'

'Dat was een uur geleden!' zei Braggadocio kregelig en hij keek mij aan alsof hij wilde zeggen: 'Zie je, dat doet ze nou altijd.'

'Laat toch,' zei ik op verzoenende toon, 'ze is er gewoon over blijven doordenken… Toe Maia, onthul ons je allerintiemste gedachten.'

'Ik bedoel, het zou leuk zijn om de lezers voor te stellen dat ze elke keer als ze "Hè, wat klote" zeggen om hun teleurstelling uit te spreken, ook zouden kunnen zeggen "Hè, wat zakvormig gedeelte van het mannelijke genitaal-urinale cilindrische aanhangsel aan de voorzijde van het perineum, ze hebben m'n portemonnee gerold!"'

'U bent zo gek als een deur,' zei Braggadocio. 'Colonna, loop even mee naar mijn bureau, ik wil je iets laten zien.'

Terwijl ik met Braggadocio mee liep knipoogde ik naar Maia; ik begon haar autistische trekjes, als daar tenminste sprake van was, steeds aantrekkelijker te vinden.

Iedereen was al weg, het begon donker te worden en in het licht van zijn bureaulamp legde Braggadocio een aantal fotokopieën naast elkaar neer.

'Colonna,' begon hij, zijn armen om zijn papierwinkel leggend alsof hij die aan het zicht van anderen wilde onttrekken, 'moet je kijken wat voor documenten ik in het archief heb gevonden. De dag nadat het lijk van Mussolini op Piazzale Loreto aan het volk is getoond, wordt het overgebracht naar het Instituut voor Forensische geneeskunde van de Universiteit, voor een autopsie, en hier is verslag van de arts. Lees maar: *Instituut voor Forensische geneeskunde en Verzekeringen van de Koninklijke Universiteit van Milaan, professor Mario Cattabeni, proces-verbaal van sectie nr. 7241 uitgevoerd op 30 april 1945 op het stoffelijk overschot van Benito Mussolini, overleden op 28 april 1945. Het stoffelijk overschot ligt zonder kleding op de sectietafel. Het weegt 72 kg. De lengte kan, gezien de sterke vervorming van het hoofd vanwege trauma, slechts bij benadering worden gemeten en is circa 1,66 m. Het gezicht is vervormd door complexe vuurwapenwonden en kneuzingen waardoor de gelaatstrekken vrijwel onherkenbaar zijn. Er worden geen antropometrische gegevens van het hoofd vastgesteld, omdat dit vervormd is door een splinterbreuk van het craniofaciale skelet…* We slaan even wat over: *Het hoofd is vervormd doordat de botstructuur totaal is verwoest, met een diepe indeuking van het gehele pariëtale-occipitale gedeelte aan de linkerzijde en verbrijzeling van het gedeelte bij de oogkas aan dezelfde zijde, waar de oogbol verslapt en gescheurd is en het glasvocht er volledig uit is gekomen. Het vetweefsel van de oogkas ligt over de hele breedte bloot door een grote laceratie en vertoont geen bloedinfiltratie. Aan de voorzijde in het midden en in het pariëtaal-occipitale gedeelte aan de linkerkant, zitten twee grote, doorlopende breuken in de hoofdhuid, met gescheurde randen en een breedte van elk 6 cm, die de schedel blootleggen. In het occipitale gedeelte, rechts van de mediaanlijn, zitten twee gaten dicht naast elkaar met onregelmatige, uitstulpende randen met een maximale doorsnede van ongeveer twee centimeter waarop tot brij geworden hersenstof zichtbaar is zonder bloedinfiltratie.* Moet je nagaan! Tot brij geworden hersenstof!'

Braggadocio leek te zweten, zijn handen trilden, op zijn onderlip parelden druppeltjes speeksel, hij bood de aanblik van een lekkerbek die het water in de mond loopt bij het zien van gebakken hersentjes, of een lekker bord pens of goulash. En hij vervolgde: '*In de nek, ter rechterzijde van de mediaanlijn, zit een groot gescheurd gat met een doorsnede van bijna drie centimeter, met uitstulpende randen zonder bloedinfiltratie. Aan de rechterzijde bij de slaap zitten dicht bij elkaar twee ronde gaten met fijn gescheurde randen zonder bloedinfiltratie. Aan de linkerzijde bij de slaap zit een groot gescheurd gat met uitstulpende randen waarop wat tot brij geworden hersenstof zit. Bij de oorschelp aan de linkerzijde zit een groot gat waar een projectiel het lichaam heeft verlaten: ook deze laatste twee verwondingen hebben het kenmerkende uiterlijk van postmortale verwondingen. Bij de neuswortel zit een klein gescheurd gat met uitstulpende botsplinters met lichte bloedinfiltratie. Op de rechterwang zit een groep van drie gaten gevolgd door een kanaal dat naar achteren de diepte in gaat en ietwat schuin omhoog loopt, met trechtervormige naar binnen gerichte randen, zonder bloedinfiltratie. Er zit een splinterbreuk in de bovenkaak met grote laceraties in de zachte delen en in het bot van het verhemelte met het kenmerk van een postmortale verwonding.* Ik sla nog even wat over, want dit zijn opmerkingen over de positie van de wonden, en het interesseert ons niet hoe en waar hij getroffen is, het volstaat dat ze op hem hebben geschoten. *De schedel vertoont splinterbreuken waar veel losse fragmenten vanaf zijn, zodat er rechtstreeks toegang is tot de schedelholte. De dikte van de schedelkap is normaal. De dura mater is verslapt met grote laceraties in de voorste helft: er zijn geen sporen van een epiduraal of subduraal hematoom. Het encephalon kan niet geheel worden verwijderd, omdat het cerebellum, de hersenstam, de tussenhersenen en een onderste deel van de hersenkwabben tot brij zijn geworden, echter zonder sporen van hemorragische infiltratie…*' Telkens weer sprak hij dat woord *brij*, dat professor Cattabeni te pas en te onpas gebruikte omdat die hoogst waarschijnlijk onder de indruk was van de brijigheid van dat lijk, met een zekere wellust uit, en soms leek het wel vier R'en te bevatten in plaats van één. Hij deed me denken aan Dario Fo die in *Mistero Buffo* een boer speelt die zich verbeeldt dat hij zich te goed doet aan een gerecht waarvan hij altijd al heeft gedroomd.

'We gaan door. *Alleen het grootste deel van de bovenzijde*

van de hemisferen, het corpus callosum en een deel van de hersenbasis zijn intact: de slagaders van de hersenbasis zijn slechts deels zichtbaar tussen de losse fragmenten van de splinterbreuk van de hele schedelbasis en zijn deels nog verbonden met de hersenmassa: deze slagaders, waaronder de voorste hersenslagaders, hebben intacte wanden… Denk jij nou echt dat een arts, die er ook nog eens van overtuigd was dat hij het lichaam van de Duce voor zich had, in staat was vast te stellen van wie die klomp vlees met al die verbrijzelde botten was? En hoe kon die man rustig zijn werk doen in een ruimte waar – dat is beschreven – voortdurend allerlei mensen, journalisten, partizanen en opgewonden nieuwsgierigen in en uit liepen? Anderen reppen zelfs van op een hoek van een tafel neergekwakte ingewanden, en van twee verpleegsters die pingpongden met organen, en stukken lever of long naar elkaar overgooiden!'

Terwijl hij sprak leek Braggadocio steeds meer op een kat die stiekem op het hakblok van een slager was gesprongen – als hij snorharen had gehad zouden die trillend rechtop hebben gestaan…

'Als je door leest zul je zien dat er geen spoor van een maagzweer is aangetroffen, terwijl we allemaal weten dat Mussolini daaraan leed, en ook geen spoor van syfilis terwijl toch het gerucht ging dat de overledene een syfilislijer was, in een vergevorderd stadium. Bedenk ook dat Georg Zachariae, de Duitse arts die de Duce had behandeld in Salò, kort daarop zou getuigen dat zijn patiënt een lage bloeddruk had, bloedarmoede, een vergrote lever, maagkrampen, spastische darmen en acute constipatie. Maar volgens de autopsie was alles in orde, een lever van normale omvang die er normaal uitzag, zowel aan de buitenkant als nadat hij was doorgesneden, gezonde galwegen, onbeschadigde nieren en bijnieren, normale urinewegen en genitaliën. Het rapport eindigt als volgt: *De resten van het encephalon, die eruit zijn genomen, zijn gefixeerd in formaline voor later anatomisch en histopathologisch onderzoek. Een deel van de cortex is op verzoek van het Bureau voor gezondheidszorg van het Opperbevel van het vijfde leger (Calvin S. Drayer) overgedragen aan Dr. Winfred H. Overholser van het psychiatrisch ziekenhuis St. Elizabeths in Washington.* Over en uit.'

Hij las voor en smulde van elke regel alsof hij het lijk daadwerkelijk voor zich had, alsof hij het aanraakte, alsof hij in restaurant Moriggi zat en niet watertandde bij de aanblik van een varkensschenkel met zuurkool, maar bij die van een verslapte en gescheurde oogbol waar het glasvocht uit was gelekt, alsof hij met smaak het cerebellum, de hersenstam, de tussenhersenen en een onderste deel van de hersenkwabben verorberde, en zwolg bij de aanblik van bijna vloeibare hersenstof.

Ik walgde ervan maar kan niet ontkennen dat ik ook gefascineerd was, door hem en door dat gemaltraiteerde lichaam waar hij zo bij likkebaardde, zoals mensen in negentiende-eeuwse romans gehypnotiseerd raakten door de blik van een slang. Om een einde te maken aan zijn opwinding zei ik: 'Het kan de autopsie van iedereen zijn.'

'Precies. Zie je nu dat mijn hypothese klopte? Het lichaam van Mussolini was niet van Mussolini, of tenminste, niemand kon zwéren dat het het zijne was. Nu weet ik in elk geval zeker wat er tussen 25 en 30 april is gebeurd.'

Toen ik die avond naast Maia in bed lag voelde ik de aandrang schoon schip te maken. Om haar beeld los te koppelen van dat van de redactie besloot ik haar de waarheid te vertellen, te weten dat de *Morgen* nooit zou verschijnen.

'Maar beter ook,' zei Maia, 'dan kan ik ophouden me zorgen te maken over mijn toekomst. Laten we het nog een paar maanden zien vol te houden en nog even snel die paar rotcenten binnenhalen, en dan hup, naar de Stille Zuidzee.'

XIII

Eind mei

Ik leidde nu een tweesporenbestaan. Overdag het vernederende leven op de redactie, 's avonds het flatje van Maia, en soms het mijne. Zaterdags en zondags in Orta. De avonden compenseerden voor ons allebei de dagen die we bij Simei doorbrachten. Maia had het opgegeven voorstellen te doen die vervolgens werden verworpen en beperkte zich ertoe ze aan mij te vertellen, bij wijze van vermaak, of troost.

Op een avond had ze me een boekje met contactadvertenties laten zien. 'Moet je horen hoe geweldig,' zei ze, 'die zou ik wel willen publiceren, maar dan met interpretatie en al.'

'Hoe bedoel je?'

'Luister: *Hoi, ik ben Samantha, 29 jaar, gediplomeerd, huisvrouw, ik ben gescheiden, geen kinderen, en ben op zoek naar een knappe man die gezellig is in de omgang...* Interpretatie: ik loop tegen de dertig en nadat mijn man me heeft gedumpt lukt het me met mijn moeizaam verkregen boekhouddiploma niet om werk te vinden, en nu zit ik de hele dag thuis duimen te draaien (ik heb zelfs geen koters om voor te zorgen); ik zoek een man, mooi hoeft hij niet te zijn, als hij me maar niet aftuigt, zoals dat stuk ellende met wie ik getrouwd was. Of deze: *Carolina, 33, single, afgestudeerd, onderneemster, verfijnde smaak, brunette, lang en slank, zelfverzekerd en rechtdoorzee, dol op sport, film, theater, reizen, lezen, dansen, staat open voor eventuele nieuwe hobby's, wil graag aantrekkelijke man leren kennen met persoonlijkheid, intelligent, met goede positie, eigen baas, ambtenaar of iets bij de politie, niet ouder dan 60, doel huwelijk.* Interpretatie: ik ben al drieëndertig en er is geen hond in me geïnteresseerd, wellicht omdat ik een gratenpakhuis ben en het me helaas maar niet lukt om blond te worden, maar daar probeer ik niet te veel over in te zitten; ik heb met de grootste moeite een talenstudie afgerond, maar bij sollicitatiegesprekken kwam ik nooit door de eerste ronde, en dus ben ik een ateliertje gestart waar ik drie Albanezen zwart voor me heb werken en waar we sokken produceren voor dorpsmarkten; ik weet niet goed wat ik leuk vind, ik kijk af en toe tv, ga naar de film of naar het buurttheater met een vriendin, lees de krant, vooral voor de contactadvertenties, ik hou van dansen maar niemand vraagt me ooit mee uit en om iets aan de haak te kunnen slaan wat ook maar enigszins in de buurt komt van een echtgenoot ben ik bereid om me op elke andere denkbare hobby te storten, op voorwaarde dat hij een paar centen heeft en me in staat stelt een punt achter de sokken en de Albanezen te zetten; hij mag ook oud zijn, bij voorkeur belastingadviseur, maar een ambtenaar bij het kadaster of politie-inspecteur is ook goed. Nog eentje: *Patrizia, 42, single, winkelierster, brunette, lang en slank, lief en gevoelig, wil graag een trouwe, goede en eerlijke man leren kennen, burgerlijke staat niet belangrijk als hij maar gemotiveerd is.* Interpretatie: potverdorie, op mijn tweeënveertigste (en zeg nou niet dat iemand die Patrizia heet toch minstens tegen de vijftig moet lopen, zoals alle Patrizia's) is het me nóg niet gelukt iemand voor het huwelijk te strikken en zit ik m'n tijd uit in de fourniturenwinkel die mijn arme moeder me heeft nagelaten, ik ben enigszins anorectisch en behoorlijk neurotisch; is er ergens een man die met me naar bed wil? Getrouwd of niet maakt me niet uit, als hij maar zin heeft. En deze: *Ik wil de hoop niet opgeven dat er een vrouw is die werkelijk in staat is lief te hebben, ik ben een bankemployé, 29 jaar, vrijgezel, zie er volgens mij goed uit en ben zeer temperamentvol, ik zoek een mooi, serieus en intelligent meisje dat me weet mee te sleuren in een fantastische liefdesgeschiedenis.* Interpretatie: ik ben hopeloos met vrouwen, de paar tegen wie ik aan ben gelopen waren mutsen die alleen maar op een huwelijk uit waren, en met het schijntje dat ik verdien ga ik niet ook nog eens een vrouw onderhouden; en dan komen ze aan met dat ik temperamentvol ben omdat ik tegen ze zeg dat ze de tyfus kunnen krijgen; hoe dan ook, ik ben niet afzichtelijk, is er niet een stevige meid die in elk geval niet "hun hebben" zegt en zin heeft in een lekkere wip zonder al te veel verwachtingen? Ik vond ook ergens een geweldige gewone advertentie: *Theatergezelschap zoekt acteurs, figuranten, grimeuze, regisseur en kostuumnaaister voor het komende seizoen.* Voor het publiek zorgen ze hopelijk zelf...'

Maia's talent was echt verspild aan de *Morgen*: 'Je verlangt toch niet dat Simei dat soort dingen publiceert? De advertenties kunnen er eventueel nog mee door, maar jouw interpretaties in geen geval!'

'Ja, ja, dat weet ik, maar dromen is niet verboden.'

Daarna zei ze, voordat ze in slaap viel: 'Jij die alles weet, weet je waarom je zegt zijn tramontane kwijt zijn en een stuk in de kraag hebben?'

'Nee, dat weet ik niet, zoiets vraag je toch niet om twaalf uur 's nachts?'

'Nou, ik weet het anders wel, of liever, ik heb het laatst ergens gelezen. De tramontane is niet alleen een mistralachtige noordenwind, maar ook een benaming voor de poolster, waarnaar zeevaarders vroeger keken om hun koers te bepalen, en als je die kwijt was, dan was je dus de weg kwijt, oftewel het spoor bijster, totaal in verwarring. Bij een stuk in de kraag vermeldt het etymologische woordenboek dat "stuk" staat voor "een vat alcoholische drank"; "kraag" wordt gebruikt in de verouderde betekenis "hals, keel". Letterlijk betekent een stuk in de kraag hebben dus "een vat vol alcohol in de keel hebben".'

'In wier armen ben ik in jezusnaam beland? Als je al dit soort dingen weet, waarom heb je je dan jarenlang met die intieme vriendschappen beziggehouden?'

‘Dat was voor het geld, dat verdomde geld. Zo gaat dat nu eenmaal als je een loser bent.’ Ze trok me dichter tegen zich aan: ‘Maar nu ben ik loser-af, want met jou heb ik een lot uit de loterij getrokken.’

Wat kun je anders met zo’n rare meid dan nog maar weer eens de liefde bedrijven? En toen ik dat deed voelde ook ik me bijna een winnaar.

De avond van de 23ste keken we geen tv en pas de volgende dag lazen we in de krant over de aanslag op Falcone. We waren verbijsterd, en ook de anderen op de redactie waren behoorlijk van de kaart, zoals na het weekend bleek.

Costanza vroeg Simei of we er niet een nummer over moesten maken. ‘Daar moeten we over nadenken,’ zei Simei weifelend. ‘Als je het hebt over de dood van Falcone moet je het ook over de maffia hebben, en klagen over de ontoereikendheid van het politieapparaat en dergelijke zaken. Dan jagen we in één klap de politie en de Cosa Nostra tegen ons in het harnas. Ik weet niet of de Commandeur dat zo leuk zal vinden. Als we eenmaal een echte krant maken zullen we, als er een rechter in de lucht vliegt, daar zeker over moeten schrijven, maar door er meteen over te schrijven lopen we het risico hypotheses te opperen die enkele dagen later alweer zullen worden gelogenstraft. Een risico dat een gewone krant nu eenmaal moet nemen, maar wij hoeven dat niet. In de regel is het, ook voor een echte krant, de verstandigste oplossing om op de emotie te spelen, familieleden te interviewen. Let maar op, dat is ook precies wat tv-zenders doen als ze aanbellen bij de moeder wier tienjarige zoon in een vat zoutzuur is gegooid: mevrouw, wat voelde u bij de dood van uw zoontje? De mensen krijgen vochtige ogen en iedereen is tevreden. Er bestaat een mooi Duits woord voor, *Schadenfreude*, genieten van andermans ongeluk. Dat is het sentiment dat een krant moet respecteren en voeden. Maar vooralsnog hoeven we ons niet met dat soort ellende bezig te houden en kunnen we het verontwaardigd zijn overlaten aan de linkse kranten; die zijn daarin gespecialiseerd. Bovendien is het niet zulk onthutsend nieuws. Er zijn al eerder rechters vermoord en er zullen er nog meer volgen. We zullen nog kansen genoeg krijgen. Maar nu passen we even.'

Na Falcone ten tweeden male te hebben geëlimineerd, bogen we ons over serieuzere zaken.

Later kwam Braggadocio naar me toe en gaf me een por: 'Zie je wel? Je snapt natuurlijk dat ook die toestand met Falcone mijn verhaal weer bevestigt.'

'Jezus, wat heeft die er nou mee te maken?'

'Wat Jezus ermee te maken heeft weet ik nog niet, maar die heeft er ongetwijfeld ook mee te maken. Alles heeft altijd met alles te maken, als je koffiedik kunt kijken. Geef me nog even de tijd.'

XIV

Woensdag 27 mei

Toen we die woensdagochtend wakker werden zei Maia: 'Toch mag ik hem niet.'

Ik was inmiddels gewend aan de grillige werking van haar synapsen. 'Je bedoelt Braggadocio,' zei ik.

'Ja, wie anders?' En daarna, na een korte pauze: 'Hoe kon je dat nou weten?'

'Schoonheid, zoals Simei zou zeggen, we kennen samen zes mensen, ik heb gewoon bedacht wie het onaardigst tegen je is geweest en kwam uit bij Braggadocio.'

'Maar ik had toch ook aan, weet ik het, president Cossiga kunnen denken?'

'Ja, maar je dácht aan Braggadocio. En waarom probeer je de zaken nou weer te compliceren nu ik je eindelijk eens een keer meteen begrijp?'

'Zie je dat je begint te denken wat ik denk?'

Verdomme, ze had gelijk.

‘Flikkers,’ zei Simei die ochtend op de dagelijkse vergadering. ‘Flikkers is een onderwerp dat het altijd goed doet.’

‘Flikkers, dat zeg je niet meer,’ zei Maia aarzelend. ‘Je zegt homo’s. Toch?’

‘Dat weet ik, schoonheid, dat weet ik,’ zei Simei geërgerd, ‘maar onze lezers zeggen nog steeds flikkers, of ze dénken het in elk geval, want ze gruwen ervan het woord in de mond te nemen. Ik weet dat je geen neger meer zegt maar zwarte, en niet blind maar visueel gehandicapt. Maar een zwarte is en blijft een zwarte en een visueel gehandicapte ziet geen bal, de stakker. Ik heb niks tegen flikkers, het is net als met negers, ik vind het allemaal prima als ze maar blijven waar ze thuishoren.’

‘Maar waarom moeten we het dan over homo’s hebben, als onze lezers daarvan gruwen?’

‘Ik bedoel niet flikkers in het algemeen, schoonheid, ik ben voor vrijheid, iedereen moet vooral doen wat hij niet laten kan. Maar ze zitten in de politiek, in het parlement en zelfs in de regering. De mensen denken dat alleen schrijvers en dansers flikkers zijn, maar sommigen van hen trekken aan de touwtjes zonder dat wij dat in de gaten hebben. Het is een maffia en ze helpen elkaar onderling. En daar zouden onze lezers wel eens gevoelig voor kunnen zijn.’

Maia liet niet af: ‘Maar het is aan het veranderen, over tien jaar kan een homoseksueel misschien wel gewoon zeggen dat hij homo is zonder dat iemand er koud of warm van wordt.’

‘Over tien jaar zien we wel weer, we weten allemaal dat de zeden verloederen. Maar voorlopig spreekt het onderwerp onze lezer nog aan. Lucidi, met al uw interessante bronnen: wat zou u ons kunnen vertellen over flikkers in de politiek – let wel, zonder namen te noemen, we willen niet in de rechtszaal belanden, het gaat erom een zaadje te planten, de mensen een spookbeeld voor te houden, een rilling te bezorgen, een gevoel van onbehagen…’

Lucidi zei: ‘Als u wilt, kan ik u heel veel namen noemen. Maar als het erom gaat de mensen een rilling te bezorgen, zoals u het uitdrukt, dan zouden we kunnen schrijven dat het gerucht gaat dat er in Rome een bepaalde boekhandel is waar hooggeplaatste homoseksuelen elkaar ontmoeten zonder dat het iemand opvalt, omdat de plek over het algemeen door doodgewone mensen wordt gefrequenteerd. Bovendien is het voor een enkeling ook een plek waar ze je een zakje coke kunnen toespelen, je pakt een boek, loopt ermee naar de kassa, de man daar pakt het aan om het in te pakken en stopt het zakje erbij. Het is bekend dat… nou ja, laat maar, een van hen is zelfs minister geweest, die is homoseksueel én hij snuift. Iedereen weet het, of liever, de mensen die ertoe doen weten het, want de eerste de beste poot komt daar niet, net zomin als dansers, want die zouden te veel in het oog lopen met hun geheupwieg.’

‘Prima idee om die geruchten te noemen, en geef dan ook wat pikante details, alsof het een reportage is. Overigens is er wel een manier om namen te suggereren. Zo kun je bijvoorbeeld zeggen dat de plek volstrekt respectabel is omdat die wordt gefrequenteerd door uiterst fatsoenlijke mensen, en dan noem je de namen van zeven of acht schrijvers, journalisten en senatoren die boven elke verdenking zijn verheven. Met dien verstande dat je er ook een of twee namen van flikkers tussen zet. Niemand kan dan zeggen dat we iemand belasteren omdat die namen juist genoemd worden als voorbeeld van betrouwbare mensen. Beter nog, zet er ook eentje tussen die bekendstaat als een onverbeterlijke rokkenjager, van wie iedereen de minnares met naam en toenaam kent. Ondertussen hebben we voor de goede verstaander een gecodeerd bericht doen uitgaan en zullen er daarnaast ook mensen zijn die begrijpen dat we, als we zouden willen, nog heel veel meer zouden kunnen opschrijven.'

Maia was van streek, dat was duidelijk te zien, maar iedereen was enthousiast, en Lucidi kennende zou het een lekker giftig stuk worden.

Maia ging eerder weg dan de anderen, na een verontschuldigend gebaar in mijn richting, alsof ze zeggen wilde sorry, ik wil vanavond alleen zijn, ik ga naar bed met een slaappil. Dus viel ik ten prooi aan Braggadocio, die met me opliep en doorging met zijn verhaal tot we, of het zo zijn moest, bij de Via Bagnera uitkwamen, alsof het duistere karakter van die plek de funeraire teneur van zijn verhaal moest onderstrepen.

'Moet je horen, nu komt er een reeks gebeurtenissen die in

strijd lijken te zijn met mijn hypothese, maar je zult zien dat dat niet het geval is. Goed, de tot een hoopje ingewanden gereduceerde Mussolini wordt zo goed mogelijk weer dichtgenaaid en samen met Claretta en consorten begraven op de begraafplaats van Musocco, maar in een anoniem graf, om te voorkomen dat het een bedevaartbestemming voor nostalgici wordt. Dat moet zijn geweest wat degene die de échte Mussolini heeft helpen ontsnappen voor ogen had, namelijk dat er niet al te veel ophef zou worden gemaakt over diens dood. Het was natuurlijk niet mogelijk nogmaals de mythe van de zich schuil houdende Barbarossa te creëren, die wel goed werkte voor Hitler, want waar diens lijk was gebleven wist niemand, en het was ook niet bekend of hij eigenlijk wel echt dood was. Maar goed, ook al werd aangenomen dat Mussolini dood was – en nog afgezien daarvan: de partizanen bleven de gebeurtenissen op Piazzale Loreto beschouwen als het magische moment van de bevrijding –, toch moest men de mogelijkheid openhouden dat de overledene op zekere dag weer zou opduiken, even fris en fruitig als daarvoor. En dat lukt je niet met opgelapte brij. Maar dan verschijnt die spelbreker van een Leccisi ten tonele.'

'Is dat niet die vent die er met het lijk van de Duce vandoor is gegaan? Ik herinner me zoiets.'

'Precies. Een melkmuil van zesentwintig, een laatste vleugje Salò, een en al idealen en nul ideeën. Hij wil zijn idool een herkenbaar graf geven, of in elk geval een schandaal veroorzaken om zo reclame te maken voor het opkomende neofascisme; met een groepje net zulke domoren als hijzelf gaat hij op een aprilnacht in 1946 naar de begraafplaats. De nachtwakers slapen als marmotten, hij loopt naar het schijnt recht op het graf af – iemand heeft hem die vertrouwelijke informatie duidelijk toegespeeld –, graaft het lichaam op waarvan nog minder over is dan toen het in de kist verdween – er was inmiddels een jaar voorbij, kun je je voorstellen wat hij aantrof – en neemt het stilletjes en gezwind mee, waarbij hij langs de paden van de begraafplaats links en rechts met ontbonden organisch materiaal en zelfs met een enkel vingerkootje strooit. Ik bedoel maar: hoe slordig kun je zijn!'

Ik had de indruk dat Braggadocio het heerlijk had gevonden als hij mee had kunnen doen met die onwelriekende verhuizing, want zo langzamerhand achtte ik hem met zijn necrofilie tot alles in staat. Ik liet hem doorpraten.

'Coup de théâtre, enorme krantenkoppen, de politie werkt zich honderd dagen lang het schompes zonder een spoor van de stoffelijke resten terug te vinden, terwijl die onderweg toch een enorm stankspoor moeten hebben achtergelaten. Hoe dan ook, al een paar dagen na de ontvoering vatten ze de eerste knakker in zijn kraag, een zekere Rana, en daarna volgen stuk voor stuk de andere medeplichtigen, totdat ook Leccisi eind juli wordt opgepakt. Ze komen erachter dat het lijk een tijdje verstopt is geweest in een huis van Rana in de Valtellina, en dat het vervolgens in mei is overgedragen aan pater Zucca, de franciscaanse prior van het Sant'Angeloklooster in Milaan, die het lijk inmetselt in de derde zijbeuk van zijn kerk. Pater Zucca en zijn kompaan pater Parini zijn een verhaal apart, er zijn mensen die hen beschouwen als de kapelaans van de beter gesitueerde, reactionaire Milanezen – ze schenen in neofascistische kringen zelfs in vals geld en drugs te handelen – en er zijn ook mensen die ze zien als goedhartige broeders die zich niet konden onttrekken aan de plicht van iedere goede christen, *parce sepultos*, maar ook dat interesseert me niet zoveel. Mij interesseert dat de regering er, met instemming van kardinaal Schuster, zorg voor draagt dat het lichaam in een kapel van het kapucijnenklooster in Cerro Maggiore ter aarde wordt besteld en dat het daar van 1946 tot 1957 blijft liggen, elf jaar lang, zonder dat het geheim uitlekt. Je snapt dat dat de crux is van het verhaal. Leccisi had met zijn stomme kop het lijk van de dubbelganger opgegraven, niet dat dat in die staat deugdelijk onderzocht kon worden, maar voor degenen die in de zaak-Mussolini aan de touwtjes trokken was het beter om te zorgen dat alles in de doofpot werd gestopt en dat er zo min mogelijk over werd gesproken. Maar terwijl Leccisi in die jaren, na eenentwintig maanden gevangenschap, een fraaie parlementaire carrière maakt, verleent de nieuwe premier Adone Zoli, die in 1957 aan de macht was gekomen dankzij de stemmen van de neofascisten, als tegenprestatie toestemming voor de teruggave van het stoffelijk overschot aan de familie en wordt het in Mussolini's geboorteplaats Predappio begraven in een soort heiligdom waar tot op de dag van vandaag oude nostalgici en nieuwe fanatici bijeenkomen, compleet met zwarte hemden en Romeinse groet. Ik geloof dat Zoli niet op de hoogte was van het bestaan van de echte Mussolini, en dat de verering van de dubbelganger hem daarom geen zorgen baarde. Ik weet het niet, misschien is het anders gegaan en kwam die hele toestand met die dubbelganger wel helemaal niet uit de koker van de neofascisten, maar uit die van andere, veel machtiger personen.'

'Sorry hoor, maar wat voor rol speelt Mussolini's familie dan? Óf ze weten niet dat de Duce nog leeft, hetgeen me onmogelijk lijkt, óf ze laten zich willens en wetens met een neplijk opschepen.'

'Tja, ik ben er nog niet achter wat de situatie binnen de familie was. Volgens mij wisten ze wel dat hun echtgenoot en vader nog leefde. Als hij zich schuilhield in het Vaticaan was het lastig om hem te bezoeken, een Mussolini komt niet onopgemerkt het Vaticaan binnen. Nee, Argentinië ligt meer voor de hand. Aanwijzingen? Neem Vittorio Mussolini. Die ontsnapt aan de zuiveringen, wordt filmproducent en scenarioschrijver en woont na de oorlog lange tijd in Argentinië. In Argentinië, vat je 'm? Om in de buurt van zijn vader te zijn? Wie zal het zeggen, maar waarom Argentinië? En er zijn foto's van Romano Mussolini en anderen die Vittorio op de luchthaven Ciampino uitzwaaien als hij naar Buenos Aires vertrekt. Waarom is er zo veel aandacht voor een reis van een broer die vóór de oorlog zelfs al in de Verenigde Staten was geweest? En Romano? Na de oorlog wordt hij een beroemd jazzpianist, hij geeft concerten, ook in het buitenland. De geschiedenis houdt zich niet bezig met de artistieke reizen van Romano, maar het zou zomaar kunnen dat ook híj in Argentinië is geweest. En Mussolini's vrouw, Rachele? Ze kan gaan en staan waar ze wil, niemand kan haar beletten een reisje te maken, misschien dat ze om niet in het oog te lopen eerst naar Parijs of naar Genève gaat en van daaruit door naar Buenos Aires. Wie zal het zeggen? En als ze haar, nadat Leccisi en Zoli het, zoals bekend is, op een akkoordje hebben gegooid, plotseling die lijkresten voorschotelen, kan ze bezwaarlijk zeggen dat het het lijk van iemand anders is, ze houdt haar gezicht in de plooi, speelt het spel mee en neemt het mee terug naar Predappio, waar het dient om onder de nostalgici het verlangen naar het fascisme levend te houden, in afwachting van de terugkeer van de echte Duce. Maar goed, die geschiedenis met de familie interesseert me niet, want hier begint het tweede deel van mijn zoektocht.'

'Wat gebeurt er dan?'

'Het is al etenstijd en er ontbreken nog een paar puzzelstukjes. We hebben het er later nog wel over.'

Ik begreep niet of Braggadocio een buitengewoon knap verteller was die me zijn roman in delen opdiende, met 'wordt vervolgd' en de nodige suspense, of dat hij echt nog bezig was de stukjes van zijn verhaal in elkaar te passen. Maar van aandringen kon hoe dan ook geen sprake zijn omdat ik inmiddels volkomen onpasselijk was geworden van al dat gesleep met dat stinkende lijk. Ik ging naar huis en nam ook een slaappil.

XV

Donderdag 28 mei

'Voor het tweede nulnummer kunnen we denken aan een achtergrondartikel over eerlijkheid,' zei Simei die ochtend. 'We weten inmiddels dat de gevestigde partijen door en door verrot zijn en dat ze allemaal smeergeld hebben aangenomen, en we moeten duidelijk maken dat we, als we zouden willen, een tegenbeweging in gang zouden kunnen zetten. Je moet daarbij denken aan een partij van eerlijke mensen, een partij van burgers die een ander soort politiek voorstaan.'

'We moeten het wel voorzichtig aanpakken,' zei ik, 'was dat niet ook het uitgangspunt van het Front van de Gewone Man?'

'Die partij is opgeslokt en ontmand door een toentertijd oppermachtige en buitengewoon gewiekste christendemocratische partij. Maar de huidige christendemocratische partij wankelt en beleeft geen heroïsche tijden meer, het is een bende klootzakken. En trouwens, onze lezers herinneren zich het Front van de Gewone Man niet meer,' zei Simei, 'dat is iets van veertig jaar geleden. Onze lezers weten al niet eens meer wat er tien jaar geleden is gebeurd. Ik zag onlangs in een belangrijke krant twee foto's staan ter gelegenheid van een herdenking van het verzet, een van een vrachtwagen vol partizanen en de andere van een rij mensen in fascistenuniform die de Romeinse groet brachten en werden beschreven als "zwarthemden". Onzin, de zwarthemden stamden uit eind jaren twintig en droegen helemaal geen fascistenuniformen; wat je op die foto zag was een fascistische militie uit de jaren dertig of begin veertig, iets wat iemand van mijn leeftijd meteen ziet. Ik vind niet per se dat er op redacties alleen mensen van mijn leeftijd moeten werken, maar het is wel zo dat ik óók het verschil zie tussen het uniform van de Bersaglieri van Lamarmora en dat van de troepen van Bava Beccaris, terwijl ik geboren ben toen die allemaal allang tot de geschiedenis behoorden. Als onze collega's al zo kort van memorie zijn, dan kun je er gevoeglijk van uitgaan dat onze lezers zich het Front zeker niet zullen herinneren. Maar om terug te komen op mijn voorstel: van een nieuwe, eerlijke partij zouden een heleboel mensen wel eens onrustig kunnen worden.'

'*De bond van eerlijke mensen*,' zei Maia lachend. 'Dat is de titel van een roman van Giovanni Mosca, nog van voor de oorlog, maar vast nog best leuk om te lezen. Hij ging over een *union sacrée* van keurige lieden die zich tussen de oneerlijken moesten mengen om die te ontmaskeren en zo mogelijk te bekeren tot eerlijkheid. Maar om door de oneerlijken geaccepteerd te worden moesten de leden van de bond zich oneerlijk gedragen. Jullie kunnen je wel voorstellen wat er gebeurde: de bond van eerlijke mensen werd gaandeweg een bond van oneerlijke mensen.'

'Dat is literatuur, schoonheid,' was Simeis reactie, 'en trouwens, wie weet nog wie die Mosca was? U leest te veel. Laat die Mosca van u maar zitten, maar als u mijn voorstel verwerpelijk vindt, hoeft u zich er niet mee bezig te houden. Waarde Colonna, u gaat me helpen bij het schrijven van een ijzersterk, doortimmerd achtergrondartikel.'

'Het is een idee,' zei ik. 'Een beroep op eerlijkheid verkoopt altijd erg goed.'

'De bond van oneerlijke eerlijke mensen,' grijnsde Braggadocio, kijkend naar Maia. Werkelijk, die twee waren niet voor elkaar gemaakt. En ik vond het steeds vervelender dat dat tengere poppetje annex kenniskanon gevangenzat in het kippenhok van Simei. Maar ik zag niet zo gauw wat ik kon doen om haar te bevrijden. Haar onbehagen nam me meer en meer in beslag (haar wellicht ook?) en ik kreeg er zelf ook meer en meer genoeg van.

Toen we tijdens de lunchpauze naar een café gingen om een broodje te eten, zei ik: 'Wil je dat we er een bom onder leggen, dat we deze zwendel openbaar maken en Simei en consorten aan de schandpaal nagelen?'

'En naar wie wil je dan toe?' vroeg ze. 'Ten eerste moet je

voor mij je eigen glazen niet ingooien, en ten tweede: wie ga je dit verhaal vertellen als alle kranten, zoals ik langzamerhand begin te begrijpen, toch van hetzelfde laken een pak zijn? Die houden elkaar allemaal de hand boven het hoofd...'

'Doe nou niet net als Braggadocio, die ziet ook al overal complotten. Hoe dan ook, sorry. Ik zeg dat allemaal omdat...' ik wist niet goed hoe ik mijn zin moest afmaken, 'omdat ik geloof dat ik van je hou.'

'Weet je dat het de eerste keer is dat je dat tegen me zegt?'

'Dommerdje, we denken toch altijd hetzelfde?'

Maar het was waar. Ik had al in geen dertig jaar meer zoiets gezegd. Het was mei, en na dertig jaar voelde ik de lente weer in mijn botten.

Waarom dacht ik aan botten? Dat kwam doordat Braggadocio uitgerekend die middag, herinner ik me, met me had afgesproken voor de San Bernardino alle Ossa-kerk, in een zijstraatje van Piazza Santo Stefano.

'Mooie kerk,' zei Braggadocio terwijl we naar binnen liepen, 'hij stamt oorspronkelijk uit de Middeleeuwen, maar is vervolgens getroffen door instorting, brand en andere rampspoed en is pas in de achttiende eeuw weer herbouwd. Het was ooit de bedoeling dat hier de botten terecht zouden komen van een leprozenbegraafplaats die er aanvankelijk niet ver vandaan lag.'

Als ik het niet dacht. Nu het lijk van Mussolini was geliquideerd en hij dat niet meer kon opgraven, zocht Braggadocio andere funeraire inspiratiebronnen. En inderdaad belandden we via een gang in het ossuarium. Het was uitgestorven, op een oud vrouwtje na dat op de voorste bank met haar hoofd in haar handen zat te bidden. In hoge, door lisenen gescheiden nissen lagen doodshoofden opgestapeld, omlijstingen vol botten, schedels die in de vorm van een kruis waren ingebed in een mozaïek van witte steentjes die ook weer botten bleken te zijn, stukjes ruggengraat wellicht, gewrichten, sleutelbenen, borstbenen, schouderbladen, stuitjes, handwortelbeentjes, middenhandsbeentjes, knieschijven, voetwortelbeentjes, springbeenderen enzovoorts. Overal verrezen creaties van bot die je blik mee omhoog voerden naar een koepel à la Tiepolo vol licht en uitbundigheid, waarop in een waas van roze en crèmekleurige wolken engelen en triomferende zielen rondzweefden. Op een plank boven de oude vergrendelde deur stond, als de porseleinen potten in een apothekerskast, een rij schedels met gapende oogkassen. In de nissen op ooghoogte lagen, beschermd door een hekwerk met grote mazen waar je je vingers doorheen kon steken, botten en schedels te glanzen, gepolijst door de eeuwenlange aanraking van devote of necrofiele handen, net als de voet van het beeld van Petrus in Rome. Zo op het oog bevond zich er minstens een duizendtal schedels, de kleinere botten waren niet te tellen, op de lisenen waren monogrammen van Christus aangebracht, gemaakt van beenderen die zo van een vlag van de piraten van Tortuga leken te zijn geplukt.

'Het zijn niet alleen botten van leprozen,' zei Braggadocio, alsof er niets mooiers op de wereld bestond. 'Er zitten ook skeletten tussen die afkomstig zijn van andere dodenakkers hier in de buurt, met name lijken van veroordeelden, in het ziekenhuis van Brolo overleden patiënten, onthoofden, overledenen uit gevangenissen, en waarschijnlijk ook dieven of overvallers die naar de kerk kwamen om er te sterven omdat ze geen andere plek hadden om de pijp uit te gaan – deze buurt had een zeer slechte reputatie... Ik vind het wel komisch dat dat oude vrouwtje hier zit te bidden alsof het de graftombe van een heilige met gewijde relikwieën is, terwijl het de resten zijn van struikrovers, bandieten en andere verdoemde zielen. En toch waren de oude monniken barmhartiger dan die lui die Mussolini hebben begraven en weer opgegraven, je ziet met hoeveel zorg, met liefde voor de kunst – en ja, ook met cynisme – ze deze knekelverzameling hebben ingericht, alsof het byzantijnse mozaïeken zijn. Dat oude vrouwtje heeft zich laten inpakken door deze aanblik van de dood die ze voor de aanblik van heiligheid houdt. Ik weet niet meer precies wáár, maar ergens onder dat altaar zou het half gemummificeerde lichaampje moeten liggen van een meisje dat in de nacht van Allerzielen, zo zeggen ze, met andere skeletten tevoorschijn komt om haar dodendans te doen.'

Ik zag voor me hoe het wichtje haar knokige vriendjes aan de hand meevoerde door de Via Bagnera, maar onthield me van commentaar. Minstens zo macabere knekelhuizen had ik gezien bij de kapucijners in Rome en in de afschrikwekkende catacomben in Palermo, waar het vol stond met complete gemummificeerde kapucijners, gekleed in majestueuze doch volstrekt vergane gewaden, maar Braggadocio was duidelijk ingenomen met zijn Milanese karkassen.

'En dan heb je ook nog het *putridarium*, daar kom je als je dat trapje voor het hoofdaltaar afgaat, maar daarvoor moeten we de koster zien te vinden, en die moet in een goed humeur zijn. De broeders zetten de lijken van hun medebroeders op stenen zetels waar ze langzaam verrotten en vergingen, de sappen vloeiden weg en wat overbleef waren skeletjes die zo schoon waren als de gebitten die je ziet in tandpastareclames. Een paar dagen geleden bedacht ik dat dit voor Leccisi de ideale plek zou zijn geweest om het lijk van Mussolini te verbergen, maar helaas schrijf ik geen roman maar reconstrueer ik historische feiten, en het staat historisch vast dat wat restte van de Duce ergens anders heen werd gebracht. Jammer. Maar dat is wel de reden dat ik hier de laatste tijd vaak ben geweest, op dit plekje dat me voor een verhaal over stoffelijke resten op allerlei mooie gedachten heeft gebracht. Er zijn mensen die geïnspireerd raken als ze naar, weet ik het, de Dolomieten of het Lago Maggiore kijken, en ik vind mijn inspiratie hier. Ik had eigenlijk bewaker in een mortuarium moeten worden. Dat zal wel komen door de herinneringen aan mijn opa die slecht aan zijn einde is gekomen, moge hij rusten in vrede.'

'Maar waarom heb je míj hier mee naartoe genomen?'

'Daarom, ik moet de dingen waar ik vol van ben toch aan íemand vertellen, anders word ik gek. De enige te zijn die de waarheid heeft achterhaald, daar kun je malende van worden. En hier komt nooit iemand, alleen af en toe een buitenlandse toerist die toch geen bal verstaat. Het punt is, ik ben uiteindelijk uitgekomen bij de *stay-behind*.'

'Stee wat?'

'Kijk, je weet dat ik nog moest bedenken wat ze met de Duce van plan waren, de levende, ervan uitgaande dat ze hem niet wilden laten wegrotten in Argentinië of het Vaticaan totdat hij zijn dubbelganger achterna was gegaan. Wat moeten we met de Duce?'

'Ja, wat moeten we ermee?'

'Nou, de geallieerden, of hun vertegenwoordigers, wilden hem levend, zodat ze hem op het juiste moment ten tonele konden voeren om tegenwicht te bieden aan een communistische revolutie of een aanval van de Sovjets. Tijdens de Tweede Wereldoorlog hadden de Engelsen de activiteiten van de verzetsbewegingen in de door de asmogendheden bezette landen gecoördineerd met behulp van een netwerk dat werd geleid door een afdeling van de inlichtingendienst van het Verenigd Koninkrijk, de Special Operations Executive, die na afloop van het conflict werd ontbonden maar opnieuw operationeel werd aan het begin van de jaren vijftig, als kern van een nieuwe organisatie die tot taak had zich in de verschillende Europese landen te verzetten tegen een invasie van het Rode Leger of tegen plaatselijke communisten die een staatsgreep wilden plegen. De coördinatie berustte bij het opperbevel van de geallieerde strijdkrachten in Europa, en zo ontstaat de stay-behind – zoiets als "achterblijven", "aan deze kant van de linies blijven" – in België, Engeland, Frankrijk, West-Duitsland, Nederland, Luxemburg, Denemarken en Noorwegen. Een paramilitaire geheime organisatie. In Italië waren daartoe al vanaf 1949 voorbereidingen getroffen, in 1959 treden de Italiaanse geheime diensten toe tot een zogenaamd comité voor planning en coördinatie, en ten slotte wordt in 1964 officieel de organisatie Gladio in het leven geroepen, die gefinancierd wordt door de CIA. Gladio: de naam zou je iets moeten zeggen, want de gladio was het wapen van de Romeinse legionairs, en dus had gladio dezelfde lading als de fasces die de fascisten als symbool hadden gekozen. Een naam die wel eens een zekere aantrekkingskracht zou kunnen uitoefenen op gepensioneerde militairen, avonturiers en lieden met heimwee naar het fascisme. De oorlog was afgelopen, maar een heleboel mensen koesterden de herinnering aan die heroïsche dagen, met koelbloedige aanslagen en gordijnen van mitrailleurvuur. Het waren oud-republikeinen, of zestigjarige katholieke idealisten, doodsbenauwd bij de gedachte dat de Kozakken hun paarden zouden drenken in het doopvont van de Sint-Pieter, maar ook fanatieke aanhangers van de verdwenen monarchie – er wordt wel gezegd dat zelfs Edoardo Sogno erbij betrokken was, die toch leider van de partizanenbrigades in Piemonte was geweest, een held, maar monarchist tot op het bot en dus gehecht aan de cultus van een verdwenen wereld. De rekruten werden op trainingskamp naar Sardinië gestuurd, waar ze leerden – als ze het zich niet nog herinnerden – bruggen op te blazen, mitrailleurs te bedienen, in het holst van de nacht groepjes vijanden aan te vallen met een dolk tussen je tanden, sabotage- en guerrilla-acties uit te voeren...'

'Dat waren dan waarschijnlijk gepensioneerde kolonels, kwakkelende korporaals, bibberende bevelhebbers, die zie ik nog niet in pijlers en hoogspanningsmasten klimmen zoals in *The Bridge on the River Kwai*.'

'Ja, maar er zaten ook jonge neofascisten bij die zin hadden in een potje knokken, en apolitieke heethoofden van divers pluimage.'

'Ik geloof dat ik daar een paar jaar terug iets over heb gelezen.'

'Dat kan. Gladio bleef na het einde van de oorlog een goed bewaard geheim, alleen de geheime diensten en de legertoppen wisten ervan, en er werd uitsluitend mondjesmaat aan premiers, ministers van defensie en presidenten over bericht. Maar na het uiteenvallen van de Sovjet-Unie had de organisatie geen enkele functie meer, en misschien kostte die ook wel te veel: in elk geval liet president Cossiga zich in '90 bepaalde uitspraken ontvallen, en in datzelfde jaar verklaarde premier Andreotti dat Gladio inderdaad had bestaan, dat er niet te veel belang aan moest worden gehecht, het was nou eenmaal noodzakelijk geweest, nu was het klaar, genoeg geïnsinueerd. En niemand maakte er een drama van, iedereen is het alweer bijna vergeten. Alleen Italië, België en Zwitserland begonnen een parlementair onderzoek, en George H.W. Bush weigerde commentaar te geven, want die zat midden in de voorbereidingen voor de Golfoorlog en wilde niet dat het Atlantische bondgenootschap in opspraak kwam. In alle landen die de stay-behind hadden gesteund werd de zaak in de doofpot gestopt, met één te verwaarlozen uitzondering: in Frankrijk was al tijden bekend dat er in de beruchte OAS leden van de Franse stay-behind zaten, maar na een mislukte staatsgreep in Algerije had De Gaulle de dissidenten tot de orde geroepen. In Duitsland wist men dat de bom tijdens het Oktoberfest in 1980 in München was gemaakt met explosieven die afkomstig waren uit een opslag van de Duitse stay-behind; in Griekenland was het stay-behindleger, de LOK, de motor geweest achter de coup van de kolonels; in Portugal was Eduardo Mondlane, het hoofd van de Frente de Libertação de Moçambique, vermoord in opdracht van de mysterieuze Aginter Press. In Spanje worden een jaar na de dood van Franco twee carlisten vermoord door extreemrechtse terroristen, en het jaar dáárna richt de stay-behind een bloedbad aan in Madrid, in een advocatenkantoor dat banden heeft met de communistische partij; in Zwitserland verklaart kolonel Aboth, oud-commandant van de plaatselijke stay-behind, nog maar twee jaar geleden in een vertrouwelijke brief aan het departement van defensie dat hij bereid is "de hele waarheid" te onthullen, en vervolgens wordt hij in zijn huis gevonden, neergestoken met zijn eigen bajonet. In Turkije zijn de Grijze Wolven gelieerd aan de stay-behind – dezelfde die betrokken waren bij de aanslag op Johannes Paulus II. En zo zou ik nog eindeloos kunnen doorgaan, en ik heb je nog maar een fractie van mijn aantekeningen voorgelezen, maar zoals je ziet zijn het kleinigheden, een moord hier en een moord daar, plaatselijk nieuws, en elke keer werd alles weer onder het tapijt geveegd. Het punt is dat kranten niet worden gemaakt om nieuws te verspreiden, maar om het te verhullen. Er gebeurt iets, je kunt het niet verzwijgen maar het brengt tegelijk ook veel mensen in verlegenheid, en dus zet je in dezelfde editie paginabrede koppen die de mensen koude rillingen bezorgen, moeder keelt haar vier kinderen, misschien blijft er van al ons spaargeld niets over, brief ontdekt waarin Garibaldi Nino Bixio beledigt enzovoorts, je nieuws verzuipt in de grote informatiezee. Maar mij interesseert wat Gladio tussen de jaren zestig en 1990 in Italië heeft uitgevreten. Ze moeten het behoorlijk bont hebben gemaakt, zich hebben ingelaten met extreemrechtse terreurbewegingen en een rol hebben gespeeld in de aanslag op Piazza Fontana in '69. En dan – het is de tijd van de studentenopstanden en de hete herfsten van de arbeiders – krijgt iemand door dat je het plegen van terroristische aanslagen kunt propageren en vervolgens links de schuld in de schoenen kunt schuiven. Er wordt beweerd dat ook de beruchte P2 Loge van Licio Gelli er iets mee te maken had. Maar waarom zou een organisatie die bedoeld was om tegen de Sovjets te strijden zich richten op het plegen van terroristische aanslagen? En ik heb ook de hele geschiedenis van prins Junio Valerio Borghese weer moeten napluizen.'

Hiermee bracht Braggadocio me een hoop dingen in herinnering die ooit de krant hadden gehaald, want in de jaren zestig ging het voortdurend over militaire staatsgrepen en wapengekletter, en ik herinnerde me geruchten over een door generaal De Lorenzo geplande (maar nooit gerealiseerde) staatsgreep. Maar door Braggadocio's woorden dacht ik met name terug aan de zogenaamde 'coup van de veldpolitie'. Een tamelijk groteske geschiedenis, volgens mij was er ook een satirische film over gemaakt. Junio Valerio Borghese, ook wel de zwarte prins genaamd, had het bevel gevoerd over de Decima Mas. Hij was een redelijk moedig man, zo werd gezegd, fascist tot in zijn haarwortels, en had zich natuurlijk aangesloten bij de Republiek van Salò, en het was nooit duidelijk geworden waarom hij het er in '45, toen er ongestraft kon worden gefusilleerd, levend vanaf had gebracht en zijn aura van voorbeeldig strijder had behouden, pet op één oor, geweer dwars over de borst, de voor de divisie kenmerkende drollenvanger, coltrui – maar met het soort gezicht dat maakte dat je hem, als je hem in kantoorplunje op straat zou zien, geen cent zou geven.

Deze Borghese had in 1970 gemeend dat de tijd rijp was voor een staatsgreep. Volgens Braggadocio had dat te maken met het feit dat Mussolini, die er in '45 al niet zo best aan toe had geleken, inmiddels bijna zevenentachtig zou zijn en ze, als ze die nog wilden terughalen uit ballingschap, dus niet al te lang meer konden wachten.

'Soms ontroert die arme man me,' zei Braggadocio, 'denk je eens in! Kijk, als hij nou nog in Argentinië zat! Daar kon hij – al mocht hij die enorme biefstukken die ze daar hebben niet eten vanwege zijn maagzweer – tenminste uitkijken over de eindeloze pampa. Moet je je indenken wat een genot, vijfentwintig jaar lang. Maar stel je voor dat hij nog in het Vaticaan zat, met op zijn hoogst een avondwandelingetje in een tuintje en door een non met een snor opgediende bordjes soep, en de gedachte dat hij, mét Italië, zijn minnares was kwijtgeraakt, en dat hij zijn kinderen niet meer kon omhelzen! Misschien begon hij wel de moed te verliezen, de hele dag in een leunstoel terugdenken aan voorbije glorie en alleen maar op de televisie kunnen zien wat er in de wereld gebeurde, in zwart-wit, terwijl hij met zijn door het klimmen der jaren benevelde maar door syfilis overprikkelde geest terugging naar de triomfen op het balkon van Palazzo Venezia, naar de zomers waarin hij met ontbloot bovenlijf het graan dorste, kinderen aflebberde terwijl hun geile moeders over zijn handen kwijlden, of naar de middagen in de Sala del Mappamondo, waar zijn lijfknecht Navarra sidderende vrouwen bij hem introduceerde die hij, amper de gulp van zijn broek open knopend, op zijn bureau legde en hup hup binnen een paar seconden insemineerde, terwijl de vrouwen kreunden als loopse teven en o, mijn Duce, mijn Duce fluisterden... En terwijl hij zich dat verlekkerd herinnerde, al kreeg hij 'm inmiddels niet meer overeind, hamerde iemand het er bij hem in dat zijn herrijzenis nabij was – wat me doet denken aan dat mopje over Hitler, ook hij verbannen naar Argentinië, die als de neonazi's proberen hem over te halen op het politieke toneel terug te keren en de wereld te heroveren, knikt en lang aarzelt, omdat de jaren ook voor hem beginnen te tellen, maar uiteindelijk een besluit neemt en zegt "goed dan, maar deze keer... als echte rotzakken, oké?"'

'Kortom,' vervolgde Braggadocio, 'in 1970 wees alles erop dat een coup zou kunnen lukken, aan het hoofd van de geheime dienst stond generaal Miceli, ook al van de P2 Loge, die een paar jaar later afgevaardigde van de neofascistische MSI zou worden – en let wel, toen hij vanwege de affaire Borghese verdacht en ondervraagd werd, heeft hij zich eruit gepraat, en hij is twee jaar geleden in alle rust overleden. Maar ik heb uit betrouwbare bron vernomen dat Miceli twee jaar na Borgheses coup achthonderdduizend dollar van de Amerikaanse ambassade heeft ontvangen, waarom en waarvoor is niet bekend. Borghese kon dus rekenen op steun uit de hoogste kringen, en ook op Gladio, op de falangistische veteranen uit de Spaanse burgeroorlog en op mensen uit vrijmetselaarskringen; er wordt ook beweerd dat de maffia zich ermee bemoeide, want die bemoeit zich altijd overal mee zoals je weet. En achter de schermen had je nog de onvermijdelijke Licio Gelli, die de carabinieri en het militaire opperbevel ophitste, waar het ook al wemelde van de vrijmetselaars. Dat van Licio Gelli is een verhaal apart, dat van wezenlijk belang is voor mijn stelling. Gelli heeft namelijk, dat heeft hij nooit ontkend, gevochten in de Spaanse Burgeroorlog, heeft deel uitgemaakt van de Sociale Republiek en heeft gewerkt als verbindingsofficier tussen de overheid en de SS; maar tegelijkertijd onderhield hij contacten met de partizanen, en na de oorlog verbond hij zich aan de CIA. Een dergelijk figuur kan dus onmogelijk géén banden hebben met Gladio. Maar nu dit: in juli 1942 was hem, als inspecteur van de nationale fascistische partij, de taak toevertrouwd het door de militaire inlichtingendienst gevorderde vermogen van koning Peter II van Joegoslavië naar Italië over te brengen: zestig ton goudstaven, twee ton oude munten, zes miljoen dollar en twee miljoen Engelse ponden. In 1947 wordt het vermogen uiteindelijk teruggegeven, maar er ontbreekt twintig ton goudstaven en er wordt gezegd dat Gelli die naar Argentinië heeft verscheept. Argentinië, snap je? In Argentinië onderhoudt Gelli vriendschappelijke contacten met Perón, en alsof dat nog niet genoeg is, ook met generaals als Videla, en hij krijgt van Argentinië een diplomatiek paspoort. En wie heeft er een flinke vinger in de pap in Argentinië? Zijn rechterhand Umberto Ortolani, die onder andere als liaison fungeert tussen Gelli en monseigneur Marcinkus. En daarmee zijn we weer terug in Argentinië, waar de Duce zich bevindt en waar zijn terugkeer wordt voorbereid, en natuurlijk is daar geld voor nodig en een goede organisatie, en lokale steun. Daarom is Gelli van essentieel belang voor het plan van Borghese.'

'Als je het zo zegt klinkt het allemaal heel overtuigend...'

'Dat is het ook. Dat neemt niet weg dat Borghese een zooitje ongeregeld bij elkaar had verzameld, waar naast nostalgische opaatjes (Borghese zelf was de zestig inmiddels al gepasseerd) ook staatssectoren deel van uitmaakten en zelfs afdelingen van de veldpolitie, vraag me niet waarom uitgerekend die, misschien omdat ze op de velden niks beters te doen hadden. Maar dat bonte gezelschap had iets desastreus kunnen aanrichten. Uit latere processtukken blijkt dat het Licio Gelli's taak was om Saragat, de toenmalige president van Italië, gevangen te nemen, en een reder uit Civitavecchia had zijn koopvaardijschepen ter beschikking gesteld om door de coupplegers gemaakte gevangenen naar de Liparische eilanden over te brengen. En je zult niet geloven wie er ook bij de operatie betrokken was! Otto Skorzeny, de man die Mussolini had bevrijd op de Gran Sasso in '43! Hij liep nog vrij rond – weer iemand die aan de gewelddadige zuiveringen van na de oorlog had weten te ontkomen –, had banden met de CIA en moest ervoor zorgen dat de VS geen bezwaar zouden maken tegen de coup, mits er een "centrum-democratische" militaire junta aan de macht zou komen. Heb je ooit zoiets hypocriets gehoord? Maar wat de latere onderzoeken nooit boven water hebben gekregen is dat Skorzeny klaarblijkelijk altijd contact had gehouden met Mussolini, die hem heel wat verschuldigd was, en dat het wellicht zijn taak was de Duce uit ballingschap terug te halen en zo de coupplegers van een onontbeerlijk heroïsch symbool te voorzien. Kortom, de hele coup stond of viel met de triomfantelijke terugkeer van Mussolini. Luister nu goed: de coup was zorgvuldig voorbereid, al vanaf 1969 let wel – het jaar van het bloedbad op Piazza Fontana, dat duidelijk was bedacht om alle verdenkingen op de linkse hoek te laten vallen en de publieke opinie psychologisch voor te bereiden op een terugkeer naar de orde. Borghese maakte plannen voor de bezetting van het ministerie van Binnenlandse Zaken, het ministerie van Defensie, de hoofdkantoren van de RAI en radio- en telefoonmasten, en ook voor de deportatie van in het parlement aanwezige tegenstanders. En dat zijn geen verzinsels van mij, want later is er een proclamatie teruggevonden die Borghese had moeten voorlezen voor de radio en waarin min of meer stond dat de langverwachte politieke ommekeer eindelijk daar was, dat de klasse die vijfentwintig jaar had geregeerd Italië aan de rand van de economische en morele afgrond had gebracht en dat de strijdkrachten en de ordetroepen de machtsgreep van de coupplegers steunden. Italianen, had Borghese ten slotte moeten zeggen, met het in jullie handen terugplaatsen van de roemrijke driekleur noden we jullie samen met ons luidkeels uiting te geven aan de onstuimige liefdesverklaring "Leve Italië". Typisch Mussoliniaanse retoriek.'

Op 7 en 8 december (vertelde Braggadocio) waren er in Rome verscheidene honderden samenzweerders bijeengekomen, was men begonnen wapens en munitie uit te delen, hadden twee generaals zich geposteerd bij het ministerie van Defensie, waren gewapende mannen van de veldpolitie gaan posten bij de burelen van de RAI en werd in Milaan de bezetting voorbereid van Sesto San Giovanni, een traditioneel communistenbolwerk.

'En wat gebeurt er dan opeens? Terwijl het hele plan leek te gaan slagen en je kon stellen dat de samenzweerders Rome al in handen hadden, bericht Borghese iedereen dat de operatie wordt afgeblazen. Later zou men zeggen dat staatsgetrouwe instellingen tegen de samenzwering in verzet waren gekomen, maar in dat geval hadden ze Borghese ook een dag eerder kunnen arresteren zonder te wachten tot Rome volstroomde met boswachters in uniform. In elk geval sterft de zaak een min of meer stille dood, de coupplegers gaan zonder incidenten uiteen, Borghese vlucht naar Spanje, alleen een paar imbecielen laten zich arresteren, maar allemaal mogen ze hun "straf" uitzitten in privéklinieken, en sommigen van hen ontvangen tijdens hun opname bezoek van Miceli die hun bescherming belooft in ruil voor hun stilzwijgen. Er volgen een paar parlementaire onderzoeken waarover in de pers amper wordt gerept, sterker nog, het grote publiek krijgt pas na drie maanden lucht van de gebeurtenissen. Wat er gebeurd is wil ik niet weten, wat me interesseert is waarom een zo zorgvuldig voorbereide coup in de loop van enkele uren wordt afgeblazen, waarmee een serieuze onderneming verandert in een farce. Waarom?'

'Dat kan ik beter aan jou vragen.'

'Blijkbaar ben ik de enige die zich dat heeft afgevraagd, en ik ben zeker de enige die het antwoord heeft gevonden, dat zonneklaar is: in diezelfde nacht arriveert het bericht dat Mussolini, wellicht al op nationaal grondgebied en klaar om in het openbaar te verschijnen, plotseling is gestorven – hetgeen op zijn leeftijd, en heen en weer gestuurd als een postpakketje, bepaald niet onwaarschijnlijk is. De coup gaat niet door omdat het charismatische symbool ervan is overleden, en deze keer echt, vijfentwintig jaar na zijn vermeende dood.'

Braggadocio's ogen schitterden, ze leken de eindeloze stoet schedels die ons omringden te verlichten, zijn handen trilden, op zijn lippen verscheen wittig speeksel. Hij greep me bij de schouders: 'Snap je, Colonna? Zo is het volgens mij gegaan!'

'Maar als ik het me goed herinner is er wel een proces geweest...'

'Een schertsvertoning, met Andreotti die hard meewerkte om alles te verdoezelen, en er zijn alleen figuren van het tweede echelon de gevangenis in gegaan. De kwestie is dat alles wat we te horen kregen onwaar was, of verdraaid, we hebben de twintig jaar daarna in een leugen geleefd. Ik zei toch al dat je nooit moet geloven wat je verteld wordt...'

'En zo eindigt dus jouw verhaal...'

'Nee, nee, hier begint het volgende, en dat zou me geen bal interesseren, ware het niet dat wat er vervolgens gebeurde een rechtstreeks gevolg was van Mussolini's overlijden. Nu de figuur van de Duce er niet meer was, kon geen enkele Gladio er nog op hopen de macht te veroveren, helemaal nu een Sovjetinvasie van de baan leek omdat we inmiddels voorzichtig de weg naar de detente waren ingeslagen. Maar Gladio wordt niet ontbonden, sterker nog, de organisatie begint zich na de dood van Mussolini pas echt te roeren.'

'Hoe dan?'

'Aangezien het omverwerpen van de regering en het installeren van een nieuw gezag niet langer aan de orde is, sluit Gladio zich aan bij de verzamelde geheime krachten die proberen Italië te destabiliseren teneinde de opkomst van links uit te sluiten en voorwaarden te scheppen voor nieuwe vormen van onderdrukking, allemaal binnen de grenzen van de wet. Besef je wel dat er vóór Borgheses coup maar weinig aanslagen van het type Piazza Fontana waren geweest, dat pas in dát jaar de Rode Brigades gestalte beginnen te krijgen en er in de jaren meteen daarna een hele reeks bloedbaden wordt aangericht? 1973, bom in het hoofdbureau van politie in Milaan, 1974, bloedbad op Piazza della Loggia in Brescia, in datzelfde jaar explodeert er een bom in de Italicus, de trein van Rome naar München, twaalf doden en achtenveertig gewonden, en, let wel, aan boord van de trein had zich Aldo Moro moeten bevinden, maar die had hem gemist omdat een aantal ambtenaren van het ministerie hem op het laatste moment had gevraagd uit te stappen om urgente papieren te tekenen. En tien jaar later ontploft er weer een bom, ditmaal in de sneltrein Napels-Milaan. En dan heb je natuurlijk de zaak-Moro, we weten nog steeds niet wat daar werkelijk is gebeurd. En dat is nog niet alles, in september 1978, een maand na de verkiezingen, sterft Albino Luciani, oftewel de nieuwe paus Johannes Paulus I, op mysterieuze wijze. Hartinfarct of hersenbloeding, werd gezegd, maar waarom zijn uit de kamer van de paus vervolgens zijn persoonlijke bezittingen verwijderd, zijn bril, pantoffels, aantekeningen en het flesje Effortil dat de oude man klaarblijkelijk moest slikken tegen zijn lage bloeddruk? Waarom moesten die voorwerpen verdwijnen? Wellicht omdat het niet aannemelijk was dat een hypotensiepatiënt een beroerte had gekregen? Waarom was de eerste hooggeplaatste persoon die meteen na het gebeurde de kamer binnenging kardinaal Villot? Je zult zeggen dat het logisch is, hij was kardinaal-staatssecretaris, maar er bestaat een boek van een zekere Yallop waarin verschillende feiten worden onthuld: de paus zou te veel interesse hebben getoond in een kongsi van geestelijken en vrijmetselaars waarvan ook Villot, monseigneur Agostino Casaroli, de vicedirecteur van de *Osservatore Romano* en de directeur van Radio Vaticaan deel uitmaakten, plus natuurlijk Marcinkus, de alom aanwezige monseigneur die aan de touwtjes trok bij de IOR, de bank van het Vaticaan, die zoals later is ontdekt belastingontduiking en witwassen faciliteerde en andere duistere zaakjes afdekte van mensen als Roberto Calvi en Michele Sindona – die, wat een toeval, in de jaren daarna de dood zullen vinden, de een opgehangen aan de Black Friars Bridge in Londen en de ander vergiftigd in de gevangenis.

Ook werd op het bureau van de dode paus een exemplaar aangetroffen van het weekblad *Il Mondo*, opengeslagen bij een artikel over het reilen en zeilen van de bank van het Vaticaan. Yallop verdenkt zes mensen van de moord: Villot, de kardinaal uit Chicago John Cody, Marcinkus, Sindona, Calvi en Licio Gelli, de overal opduikende grootmeester van de P2 Loge. Je zult zeggen dat dit alles niets te maken hoeft te hebben met Gladio, maar toevalligerwijs hadden veel van deze figuren ook de hand gehad in eerdere samenzweringen en was het Vaticaan betrokken geweest bij de redding en de bewaking van Mussolini. Misschien had de dode paus dat ontdekt, ook al waren er al enige jaren verstreken sinds de werkelijke dood van de Duce, en wilde hij korte metten maken met de bende die al sinds het einde van de Tweede Wereldoorlog een staatsgreep voorbereidde. En ik zal je nog iets zeggen, na de dood van Johannes Paulus I wordt de zaak waarschijnlijk opgepakt door Johannes Paulus II, op wie drie jaar later een aanslag wordt gepleegd door de Grijze Wolven die, zoals ik al zei, banden hadden met de stay-behind in hun land... De paus vergeeft hen, de geroerde aanslagpleger doet boete in de gevangenis, maar goed, de paus heeft de schrik te pakken en houdt zich niet langer met de kwestie bezig, ook omdat Italië hem amper interesseert en hij meer gepreoccupeerd lijkt met het bestrijden van protestantse sekten in de derde wereld. En dus laten ze hem verder met rust. Zijn dit genoeg toevalligheden?'

'Maar komt het niet gewoon door jouw neiging om overal complotten te zien dat je alles op één hoop gooit?'

'Nee hoor, er zijn gerechtelijke stukken, en die zijn terug te vinden, als je maar weet waar je zoeken moet in de archieven, want ze zijn weggemoffeld tussen allerlei andere zaken. Neem de zaak-Peteano. In mei 1972 wordt de politie gewaarschuwd dat er op een weg in een dorp in de buurt van Gorizia een verlaten Fiat 500 staat met in de voorruit twee kogelgaten. Er gaan drie agenten naartoe, ze proberen de kofferbak te openen en worden gedood door een explosie. Een tijd lang denkt men aan een actie van de Rode Brigades, maar jaren later duikt er opeens een zekere Vincenzo Vinciguerra op. Moet je horen wat een type: hij had zijn arrestatie voor een ander duister zaakje weten te ontlopen door zijn toevlucht te zoeken in Spanje, bij het internationale anticommunistische netwerk van de Aginter Press; daar sluit hij zich via de contacten van een rechtse terrorist, Stefano Delle Chiaie, aan bij de extreemrechtse Avanguardia Nazionale; vervolgens neemt hij de wijk naar Chili en Argentinië, maar in 1978 besluit de beste man dat zijn lange strijd tegen de staat geen zin heeft gehad en geeft hij zichzelf aan in Italië. Let wel, hij had geen spijt, hij dacht nog steeds dat hij goed had gedaan aan alles wat hij tot dan toe gedaan had, en dus zul je zeggen: waarom geeft hij zichzelf dan aan? Ik zeg, uit publiciteitsgeilheid, er zijn moordenaars die terugkeren naar de plaats delict, serial killers die de politie aanwijzingen sturen omdat ze gepakt willen worden, anders komen ze nooit op de voorpagina, en deze Vinciguerra begint vanaf dat moment bekentenis op bekentenis uit te braken. Hij eist de verantwoordelijkheid op voor de aanslag in Peteano. En brengt de staatsapparaten in de problemen die hem, zegt hij, hadden beschermd. Pas in 1984 ontdekt een officier van justitie, Casson, dat de bom die in Peteano was gebruikt afkomstig was uit een wapendepot van Gladio, en het intrigerendste is nog dat het bestaan van dat depot hem was onthuld door, je raadt het nooit, Andreotti, die er dus van wist maar nooit zijn mond had opengedaan. Een expert die voor de Italiaanse politie werkte en lid was van de extreemrechtse politieke beweging Ordine Nuovo zou met een rapport zijn gekomen waarin stond dat de gebruikte explosieven identiek waren aan de explosieven die door de Rode Brigades werden gebruikt, maar Casson had aangetoond dat het een C4-explosief betrof dat tot het arsenaal van de NAVO-troepen behoorde. Kortom, een enorme janboel, maar zoals je ziet, NAVO of Rode Brigades, altijd komt Gladio weer om de hoek kijken. Met dien verstande dat de onderzoeken ook uitwezen dat de Ordine Nuovo had samengewerkt met de Italiaanse militaire inlichtingendienst, de SID, en je snapt dat als een militaire inlichtingendienst drie politieagenten de lucht in laat vliegen dat waarschijnlijk niet is uit haat jegens de politie maar om extreemlinkse activisten de schuld in de schoenen te kunnen schuiven.

Om kort te gaan, na onderzoeken en tegenonderzoeken werd Vinciguerra tot levenslang veroordeeld, en vanuit de gevangenis doet hij nog steeds onthullingen over de Strategie van de Spanning. Zo vertelt hij over het bloedbad van Bologna – je ziet dat er verbanden zijn tussen de verschillende bloedbaden en dat dat geen verzinsel van mij is – en zegt hij dat de aanslag op Piazza Fontana in 1969 was gepland om de toenmalige premier Mariano Rumor ertoe aan te zetten de noodtoestand af te kondigen. Hij voegt daar bovendien aan toe, ik lees het je voor: "Je kunt niet voortvluchtig zijn zonder geld. Je kunt niet voortvluchtig zijn zonder steun. Ik had dezelfde weg kunnen kiezen als anderen zijn gegaan, elders steun kunnen zoeken, bijvoorbeeld bij de geheime dienst in Argentinië. Ik had ook de weg van de misdaad kunnen kiezen. Maar ik wilde niet met geheime diensten samenwerken, en ook geen misdadiger worden. Dus had ik maar één keus om mijn vrijheid te hervinden. Te weten mezelf aangeven. En dat heb ik gedaan." Dat is duidelijk de logica van een exhibitionistische gek, maar wel van een gek die over betrouwbare informatie beschikt. Dit is in grote lijnen mijn reconstructie van de gebeurtenissen: de schaduw van Mussolini, die werd dosod gewaand, hangt boven alles wat er tussen 1945 en zeg maar dit moment in Italië is voorgevallen, en zijn daadwerkelijke dood is het startsein geweest voor de verschrikkelijkste periode in de geschiedenis van dit land, waarbij stay-behind, CIA, NAVO, Gladio, de P2, de maffia, geheime diensten, het militaire opperbevel, ministers als Andreotti en presidenten als Cossiga betrokken zijn, en natuurlijk ook een groot deel van de extreemlinkse terreurorganisaties, die naar behoren zijn geïnfiltreerd en gemanipuleerd. En ook Moro is natuurlijk ontvoerd en vermoord omdat hij iets wist en zou hebben gepraat. Desgewenst kun je er ook nog kleinere misdrijven aan toevoegen die ogenschijnlijk geen enkele politieke betekenis hadden...'

'Jaja, de moordenares van de Via San Gregorio, de zeepmaakster uit Correggio, het monster van de Via Salaria...'

'Doe maar niet zo sarcastisch, die eerste zaken van vlak na de oorlog misschien niet, maar wat de rest betreft is het economischer, zoals dat heet, om er één enkele geschiedenis in te zien die wordt gedomineerd door één enkele virtuele figuur die vanaf het balkon van Palazzo Venezia het verkeer leek te regelen, al zag niemand hem. Skeletten,' en hij wees naar de zwijgende gastheren die ons omringden, 'kunnen 's nachts altijd tevoorschijn komen en hun dodendans doen. Er zijn meer dingen tussen hemel en aarde enzovoorts enzovoorts, je weet wel. Maar zeker is dat Gladio, toen de Sovjets niet langer een bedreiging vormden, officieel werd afgedankt; zowel Cossiga als Andreotti heeft er openlijk over gesproken in een poging het spook uit te bannen en het af te schilderen als iets doodnormaals dat had bestaan met instemming van de autoriteiten; een gemeenschap die bestond uit patriotten, net zoiets als de negentiende-eeuwse carbonari. Maar ís alles ook werkelijk afgelopen, of zijn bepaalde groepen onuitroeibaar en in de schaduw nog steeds actief? Ik denk eigenlijk dat ons nog heel wat te wachten staat.'

Hij keek ontstemd achterom: 'Maar nu kunnen we beter vertrekken, want die groep Japanners die daar binnenkomt staat me niet aan. Oosterse spionnen zitten overal, ook China is tegenwoordig van de partij, en ze verstaan ook nog eens alle talen.'

Terwijl we de kerk uitliepen en ik met volle teugen de frisse buitenlucht inademde, vroeg ik: 'Heb je alles echt goed geverifieerd?'

'Ik heb gepraat met mensen die van een heleboel op de hoogte zijn en heb ook onze collega Lucidi om advies gevraagd. Misschien wist je het niet, maar hij heeft banden met de geheime dienst.'

'Ja, ja, dat weet ik. Maar je vertrouwt hem desondanks?'

'Mensen zoals hij zijn gewend hun mond te houden, maak je geen zorgen. Ik heb nog een paar dagen nodig om nog meer onweerlegbare bewijzen te verzamelen, onweerlegbaar, zeg ik je, en dan ga ik naar Simei en presenteer hem de resultaten van mijn onderzoek. Twaalf afleveringen voor twaalf nulnummers.'

Om de gedachte aan de beenderen van San Bernardino uit te wissen nam ik Maia die avond mee naar een restaurant met kaarslicht. Ik vertelde haar natuurlijk niets over Gladio, vermeed gerechten waarbij je iets van botten moest ontdoen en kwam langzaam bij van de nachtmerrie van die middag.

XVI

Zaterdag 6 juni

Braggadocio nam een paar dagen de tijd om zijn bevindingen bij te schaven, en donderdag zat hij de hele ochtend met Simei in diens kantoor. Tegen elven kwam hij weer tevoorschijn, met Simei die hem op het hart drukte: 'Controleer dat feit nog even goed, alstublieft, ik wil honderd procent zekerheid.'

'Daar kunt u van op aan,' zei Braggadocio, een en al goedgemutstheid en optimisme. 'Vanavond heb ik een afspraak met iemand die ik kan vertrouwen en dan check ik alles nog een laatste keer.'

De rest van de redactie hield zich onledig met het bepalen van de inhoud van de vaste rubrieken van het eerste nulnummer: sport, de puzzels van Palatino, een aantal loochenbrieven, de horoscoop en de overlijdensadvertenties.

'Hoeveel we ook bedenken,' zei Costanza op een zeker moment, 'toch schat ik dat we die vierentwintig pagina's niet vol krijgen. We hebben meer nieuws nodig.'

'Oké,' zei Simei, 'misschien kunt u ons een handje helpen, Colonna.'

'Nieuwsberichten hoef je niet te verzinnen,' zei ik, 'die kun je ook hergebruiken.'

'Hoe dan?'

'De mens is kort van memorie. Neem de volgende paradox: iedereen zou moeten weten dat Julius Caesar is vermoord op de Idus van maart, maar toch is er onzekerheid over. Je gaat op zoek naar een recent verschenen Engels boek waarin het verhaal van Caesar uit de doeken wordt gedaan, daarna verzin je een aansprekende titel, "Wonderbaarlijke ontdekking van historici in Cambridge. Caesar daadwerkelijk vermoord op de Idus van maart", je vertelt alles gewoon nog een keer, en je hebt een uitermate leesbaar artikel. Nu ja, dat verhaal over Caesar is natuurlijk een beetje vergezocht, dat geef ik toe, maar als je een artikel schrijft over dat gedoe met de Pio Albergo Trivulzio kun je bijvoorbeeld de nadruk leggen op de overeenkomsten met het schandaal van de Banca Romana. Die kwestie speelde aan het einde van de negentiende eeuw en heeft helemaal niets van doen met de huidige schandalen, maar het ene schandaal trekt het andere aan, je hoeft maar te zinspelen op bepaalde geruchten, en je vertelt het verhaal van de Banca Romana alsof het gisteren is gebeurd. Ik denk dat Lucidi er wel wat moois van zou weten te bakken.'

'Prima,' zei Simei. 'Wat is er, Cambria?'

'Ik zie hier een persbericht, er is weer een Maria aan het huilen geslagen in een dorpje ergens diep in het zuiden.'

'Schitterend, maak er maar een lekker sensatiestuk van!'

'Iets over de onuitroeibaarheid van het bijgeloof...'

'Nee, nee! We zijn toch niet het bulletin van de vereniging van atheïsten en rationalisten! De mensen willen wonderen, geen laatdunkend commentaar. Verslag doen van een wonder houdt toch niet in dat je je compromitteert, dat je zegt dat de krant het gelooft? Er wordt melding gemaakt van de gebeurtenis, of er wordt gezegd dat iemand daarvan getuige was. Of die heilige maagden nou werkelijk huilen of niet, dat zijn onze zaken niet. De lezer moet zelf zijn conclusies trekken, en als hij gelovig is, dan zal hij het geloven. Kop over meerdere kolommen.'

Iedereen toog enthousiast aan het werk. Ik liep langs het bureau van Maia, die zeer geconcentreerd bezig was met haar overlijdensadvertenties, en zei: 'Denk eraan, hè, we zijn ontroostbaar...'

'En ze heeft intens genoten van de toewijding waarmee alle vrienden haar in de laatste maanden omringden,' zei ze.

'En schrijf Moniek maar met i-e-k, dus zonder q.' Ik lachte haar bemoedigend toe, en liep verder.

Ik bracht de avond door in het met wankele boekentorens volgepakte onderkomen van Maia, dat we, zoals soms gebeurde, met succes omtoverden tot een liefdesnest.

Tussen de stapels zaten ook veel langspeelplaten, allemaal

klassiek, geërfd van haar grootouders. Soms lagen we er eindeloos naar te luisteren. Die avond had Maia de zevende van Beethoven opgezet en vertelde ze me met vochtige ogen dat ze al sinds de puberteit moest huilen bij het tweede deel. 'Het begon toen ik zestien was: ik had geen geld, maar omdat ik iemand kende bij de concertzaal mocht ik gratis naar binnen, op het schellinkje. Ik had geen zitplaats, dus ik nam mijn toevlucht tot het trapje, waar ik beetje bij beetje onderuit schoof totdat ik zowat languit lag. De houten treden waren hard, maar ik voelde er niets van. Bij het tweede deel dacht ik dat ik zo wel zou willen sterven en begon ik te huilen. Ik was een beetje gek toen. Maar ook al ben ik nu niet gek meer, ik huil nog steeds.'

Ik had nooit gehuild bij muziek, maar het ontroerde me dat zij dat wel deed. Na een paar minuten stilte zei Maia: 'Maar híj was een sukkel.'

'Wie?'

'Schumann natuurlijk,' zei Maia alsof ik met mijn hoofd ergens anders zat. Haar autisme, zoals gewoonlijk.

'Schumann een sukkel?'

'Ja, joh, een en al romantisch vertoon, en dat is ook wat je verwacht, gezien de periode, maar het is allemaal erg cerebraal. En door zijn hersenen zo af te pijnigen is hij gek geworden. Ik begrijp wel waarom zijn vrouw verliefd is geworden op Brahms. Ander temperament, andere muziek, en bon vivant. Maar daarmee wil ik niet zeggen dat Robert nou zo slecht was, ik snap dat hij talent had, hij was tenminste niet zo'n enorme blaaskaak.'

'Wie dan wel?'

'Nou Liszt, die lawaaimaker, of die preutelaar van een Rachmaninov, díe schreven pas slechte muziek, allemaal effectbejag, om geld te verdienen, concert voor kneuzen in c-majeur, dat soort dingen. In deze stapels hier zul je hun platen niet aantreffen. Ik heb ze weggegooid. Die hadden beter putjesschepper kunnen worden.'

'Wie is er volgens jou beter dan Liszt?'

'Satie, wie anders?'

'Maar van Satie ga je niet huilen, toch?'

'Zeker niet, dat had hij niet gewild, ik huil alleen bij het tweede deel van de zevende.' Daarna was het even stil, en toen zei ze: 'Sinds mijn puberteit huil ik ook bij sommige stukken van Chopin. Maar zeker niet bij zijn concerten.'

'Waarom niet bij zijn concerten?'

'Omdat hij zich niet op zijn plek voelde als je hem bij zijn piano weghaalde en hem een orkest gaf. Hij schreef te pianistisch voor strijkers, koperblazers en pauken. Heb je die film met Cornel Wilde als Chopin gezien waarin er bloed op de toetsen spat? Als hij dirigeerde, wat moest hij dan? De concertmeester met bloed bespatten?'

Maia bleef me verbazen, zelfs nu ik dacht dat ik haar zo langzamerhand wel kende. Door haar zou ik dus zelfs muziek leren begrijpen. Op haar manier dan.

Dat was onze laatste gelukkige avond. Gisteren werd ik laat wakker en was ik pas aan het einde van de ochtend op de redactie. Ik was nog niet binnen of ik zag mannen in uniform die Braggadocio's laden doorzochten en een vent in burger die de aanwezigen ondervroeg. Simei stond in de deuropening van zijn kantoor, lijkbleek.

Cambria kwam naar me toe en zei zachtjes, alsof hij me een geheim wilde vertellen: 'Ze hebben Braggadocio vermoord.'

'Wat?! Braggadocio? Hoe?'

'Een nachtwaker die om zes uur vanochtend op de fiets naar huis reed zag een lijk liggen, op zijn buik, met een wond in zijn rug. Omdat het nog zo vroeg was duurde het een hele tijd voordat hij een café vond dat al open was waar hij het ziekenhuis en de politie kon bellen. Een messteek, dat zag de lijkschouwer meteen, één, maar met kracht toegebracht. Ze hebben het mes niet laten zitten.'

'Waar was het?'

'In een steegje in de buurt van de Via Torino, hoe heet het... Via Bagnara dacht ik, of Bagnera.'

De kerel in burger kwam naar me toe, we stelden ons kort aan elkaar voor, hij was politie-inspecteur en vroeg me wanneer ik Braggadocio voor het laatst had gezien.

'Hier op kantoor, gisteren,' zei ik, 'net als al mijn collega's, denk ik. Volgens mij is hij alleen weggegaan, iets eerder dan de rest.'

Hij vroeg me, net als aan iedereen vermoedelijk, wat ik de

avond daarvoor had gedaan. Ik zei dat ik met een vriendin was gaan eten en meteen daarna naar bed was gegaan. Het was duidelijk dat ik geen alibi had, maar dat leek voor alle aanwezigen te gelden en de inspecteur scheen er niet erg mee te zitten. Het was, zoals in detectives op tv wordt gezegd, slechts een routinevraag.

Het interesseerde hem meer of ik de indruk had dat Braggadocio vijanden had, of hij in zijn hoedanigheid van journalist iets gevaarlijks op het spoor was. Natuurlijk liet ik niet het achterste van mijn tong zien; niet dat er onder journalisten een soort zwijgplicht geldt, maar het begon me te dagen dat Braggadocio waarschijnlijk uit de weg was geruimd vanwege zijn speurwerk, en ik had meteen het idee dat als ik liet doorschemeren dat ik er meer van wist, iemand het wel eens nuttig zou kunnen vinden mij ook te liquideren. Ik moet mijn mond houden, hield ik mezelf voor, zelfs tegen de politie; Braggadocio zei toch dat iedereen bij die geschiedenis betrokken was, tot boswachters aan toe? Mocht ik tot gisteren hebben gedacht dat de man een fantast was, zijn dood verschafte hem nu een zekere geloofwaardigheid.

Ik zweette, maar de inspecteur merkte het niet, of schreef het toe aan de opwinding van het moment.

'Ik weet niet waar Braggadocio precies mee bezig was de afgelopen dagen,' zei ik. 'Misschien kan de heer Simei het u vertellen, hij verdeelt de artikelen. Ik meen me te herinneren dat hij werkte aan een reportage over prostitutie, ik weet niet of u daar wat aan hebt.'

'We zullen zien,' zei de inspecteur, en richtte zich vervolgens tot Maia, die zat te huilen. Ze mocht hem niet, hield ik mezelf voor, maar vermoord is vermoord, het arme kind. Ik had geen medelijden met Braggadocio maar wel met haar, want ze voelde zich ongetwijfeld schuldig omdat ze zich onaardig over hem had uitgelaten.

Op dat moment gebaarde Simei me naar zijn kantoor te komen. 'Colonna,' zei hij terwijl hij met trillende handen plaatsnam achter zijn bureau, 'u weet waar Braggadocio mee bezig was.'

'Ik weet het zo half en half, hij heeft ergens op gezinspeeld maar ik weet niet zeker of...'

'Houd u maar niet op de vlakte, Colonna, u hebt heel goed begrepen dat Braggadocio is neergestoken omdat hij op het punt stond dingen te onthullen. Ik weet tot op de dag van vandaag niet wat ervan waar was en wat hij zelf had verzonnen, maar één ding is zeker: van de honderd dingen die hij aan het onderzoeken was, had hij het ten minste wat één ding betreft bij het rechte eind, en dat is de reden dat hem het zwijgen is opgelegd. Maar omdat hij gisteren zijn verhaal ook aan mij heeft verteld, weet ik dat ene ding ook, ook al weet ik niet wat het is. En omdat hij me heeft gezegd dat hij u ook in vertrouwen heeft genomen, weet u het ook. Dus verkeren we allebei in levensgevaar. En alsof dat nog niet genoeg is, heeft Commandeur Vimercate twee uur geleden een telefoontje gekregen. Hij heeft me niet verteld van wie, noch wat ze hem hebben gemeld, maar Vimercate is tot de conclusie gekomen dat de hele *Morgen*-onderneming ook voor hem te gevaarlijk is geworden en heeft besloten de stekker eruit te trekken. Hij heeft me de cheques die ik aan de redacteurs moet geven al opgestuurd, ze krijgen zo een envelop met twee maanden salaris en welgemeende woorden van dank. Ze hebben geen van allen een contract en kunnen er niets tegen inbrengen. Vimercate wist niet dat u ook in gevaar was, maar ik denk dat het voor u problematisch wordt om uw cheque te gaan innen, en daarom verscheur ik hem, ik heb contant geld in kas en heb voor u twee maandsalarissen in contanten in een envelop gestopt. Morgen zullen deze kantoren worden ontmanteld. Wat ons tweeën betreft, laten we onze afspraak vergeten, uw taak, het boek dat u had moeten schrijven. De *Morgen* houdt op te bestaan: per vandaag. Maar ook al houdt de krant ermee op, u en ik weten nog steeds te veel.'

'Ik geloof dat Braggadocio het er ook met Lucidi over heeft gehad...'

'U hebt er dus echt niets van begrepen. Dat was nu net het hele probleem. Lucidi heeft geroken dat onze overleden vriend met iets gevaarlijks bezig was en is dat onmiddellijk gaan doorbrieven aan... ja, aan wie? Ik weet het niet, maar beslist aan iemand die heeft besloten dat Braggadocio te veel wist. Niemand zal Lucidi een haar krenken, die zit in het andere kamp. Maar ons misschien wel. Ik zal u vertellen wat ik doe. Zodra de politie hier weg is, stop ik de rest van het kasgeld in een tas, ga als een speer naar het station en pak de eerste trein naar Lugano. Zonder bagage. Daar ken ik iemand die gegevens in het bevolkingsregister kan wijzigen, nieuwe naam, nieuw paspoort, nieuwe woonplaats, we zien wel. Ik verdwijn voordat Braggadocio's moordenaars me kunnen vinden. Ik hoop ze voor te zijn. En Vimercate heb ik verzocht mijn ontslagpremie in dollars te storten op de Credit Suisse. Wat u aangaat weet ik niet wat ik u moet aanraden, maar ga om te beginnen naar huis en vertoon u niet meer op straat. Kijk dan of u weg kunt komen, ik zou kiezen voor een Oost-Europees land, waar nooit een stay-behind heeft bestaan.'

'Denkt u werkelijk dat het allemaal komt door de stay-behind? Daar weet toch iedereen al vanaf? Of door dat gedoe met Mussolini? Dat is zo grotesk dat niemand er ook maar iets van zou geloven.'

'En het Vaticaan dan? Zelfs al was het verhaal niet waar, toch zou er in de kranten komen te staan dat de Kerk de Duce in 1945 heeft helpen vluchten en hem bijna vijftig jaar onderdak heeft verschaft. Met al dat gedonder dat ze daar nu al hebben met Sindona, Calvi, Marcinkus en de rest, zou het schandaal, nog vóórdat ze hadden kunnen aantonen dat het Mussolini-verhaal nergens op slaat, al breed zijn uitgemeten in de internationale pers. Vertrouw niemand, Colonna, blijf veilig thuis, in elk geval vannacht, en bedenk daarna hoe u ertussenuit kunt knijpen. U kunt het een paar maanden uitzingen en als u bijvoorbeeld naar Roemenië gaat, hoeft u daar amper iets uit te geven en kunt u met de twaalf miljoen uit uw envelop een flinke tijd leven als een vorst, en daarna ziet u wel weer. Vaarwel Colonna, het spijt me dat de zaken zo zijn gelopen, het lijkt een beetje op die mop van onze Maia over die cowboy uit Abilene: jammer, we hebben verloren. Ga nu, zodra die agenten hier weg zijn bereid ik ook mijn vertrek voor.'

Ik wilde meteen weg, maar die verdomde inspecteur bleef ons allemaal steeds maar weer ondervragen zonder ook maar een stap verder te komen, en ondertussen was het al avond geworden.

Ik liep langs het bureau van Lucidi die net zijn envelop opende. 'Bent u naar behoren beloond?' vroeg ik hem, en hij snapte ongetwijfeld waar ik op zinspeelde.

Hij keek naar me op en beperkte zich ertoe te vragen: 'Wat heeft Braggadocio u verteld?'

'Ik weet dat hij iets op het spoor was, maar hij heeft me nooit willen zeggen wat het was.'

'Echt?' zei hij. 'Arme drommel, god weet wat hij heeft uitgespookt.' Daarna wendde hij zich af.

Zodra de inspecteur me toestemming gaf om weg te gaan, met het gebruikelijke houd u ter beschikking van de politie, fluisterde ik tegen Maia: 'Ga naar huis en wacht tot ik iets van me laat horen, al denk ik niet dat ik je vóór morgenochtend zal bellen.'

Ze keek me verschrikt aan: 'Wat heb jij er nou mee te maken?'

'Ik heb er niets mee te maken, wat haal je je in je hoofd, ik ben gewoon overstuur.'

'Wat gebeurt er toch allemaal? Ze hebben me een envelop gegeven met een cheque en duizendmaal dank voor de waardevolle samenwerking.'

'De krant houdt op te bestaan, ik leg het je later wel uit.'

'Waarom leg je het me nú niet uit?'

'Ik zweer je dat ik je morgen alles zal vertellen. Blijf vooral rustig thuis. Alsjeblieft, doe wat ik zeg.'

Ze hoorde me aan, met vragende ogen die nat waren van de tranen. En ik vertrok zonder nog iets te zeggen.

Ik bracht de avond thuis door, zonder te eten, dronk een halve fles whisky leeg en bedacht wat ik zou kunnen doen. Daarna was ik uitgeput, nam een slaappil en sliep in.

En vanochtend kwam er geen water uit de kraan.

XVII

Zaterdag 6 juni 1992, 12 uur

Zo. Ik heb alles gereconstrueerd. Ik probeer mijn gedachten te ordenen. Wie zijn 'zij'? Simei zei het al, Braggadocio had, of hij daar nu goed aan had gedaan of niet, een grote hoeveelheid feiten verzameld. Van welk van die feiten kon iemand het benauwd hebben gekregen? De kwestie-Mussolini? En wie zat hem in dat geval te knijpen? Het Vaticaan, een aantal medeplichtigen aan Borgheses coup die nog steeds hoge staatsambten bekleedden (maar die zouden twintig jaar na dato toch wel allemaal dood zijn?), de geheime diensten (en welke dan)? Of was het toch gewoon een of andere oude knar geweest die zwolg in angst en nostalgie en alles in zijn eentje had bekokstoofd? Misschien kickte hij er wel op iemand van het kaliber van Vimercate te bedreigen, alsof hij, weet ik het, de maffiosi van de Sacra Corona Unita achter zich had. Een gek dus, maar als een gek erop uit is je uit de weg te ruimen is hij even gevaarlijk als iemand die bij zijn verstand is, gevaarlijker zelfs. Ik bedoel, of 'zij' het nu zijn of die eenzame gek, er ís vannacht iemand bij me binnen geweest. En als die één keer binnen is geweest kan hij dat ook een tweede keer doen. Kortom, ik kan hier niet blijven. Maar weet die gek, of weten 'zij', dat ik iets weet? Heeft Braggadocio iets over me gezegd tegen Lucidi? Vermoedelijk niet, of écht niet, te oordelen naar mijn laatste gesprekje met die spion. Kan ik er dientengevolge van uitgaan dat ik veilig ben? Absoluut niet. Om hiervandaan naar Roemenië te vluchten is nog niet zo eenvoudig, misschien kan ik beter afwachten wat er gebeurt, lezen wat er morgen in de kranten staat. Mocht de moord op Braggadocio niet worden vermeld, dan ziet het er slechter uit dan ik hoopte, want dat betekent dat iemand alles onder het tapijt probeert te vegen. Maar ik moet me beslist op zijn minst een tijdje schuilhouden. Waar, gezien het feit dat ik al gevaar loop als ik mijn neus buiten de deur steek?

Ik dacht aan Maia en aan ons toevluchtsoord in Orta. Mijn verhouding met Maia is volgens mij door niemand opgemerkt, en zij wordt waarschijnlijk niet in de gaten gehouden. Zij niet, maar mijn telefoon wel, dus ik kan haar niet vanuit huis bellen, en om van buiten te bellen moet ik de deur uit.

Ik bedacht dat je vanaf onze binnenplaats toegang hebt tot de toiletten van het café op de hoek. En ik bedacht ook dat er zich achter op de binnenplaats een ijzeren deur bevindt die al tientallen jaren op slot zit. Dat had mijn huisbaas me verteld toen hij me de sleutels van het appartement overhandigde. Behalve die van de buitendeur beneden en van mijn eigen voordeur, zat er ook een oude geroeste bij: 'Die zult u nooit nodig hebben,' had de huisbaas glimlachend gezegd, 'maar al vijftig jaar lang heeft iedere huurder er een. Ziet u, in de oorlog hadden we hier geen schuilkelder, maar er was wel een tamelijk goede in het huis hier vlak achter in de Via Quarto dei Mille, die parallel loopt aan onze straat. En dus is er op de binnenplaats een doorgang gemaakt zodat de gezinnen als het luchtalarm ging snel de schuilkelder konden bereiken. De deur zat altijd op slot, van beide kanten, maar al onze huurders hadden een sleutel, die zoals u ziet in die vijftig jaar flink is geroest. Ik denk niet dat u hem ooit nodig zult hebben, maar toch, die deur kan een goede vluchtweg zijn als er brand is. Gooit u hem maar in een lade en vergeet hem.'

Nu wist ik wat me te doen stond. Ik liep naar beneden en ging via de toiletten het café binnen – de baas kent me en ik had het al eens eerder gedaan. Ik keek om me heen, 's ochtends was er bijna nooit iemand, aan een tafeltje zat een ouder echtpaar met twee cappuccino's en twee croissants, ze zagen er niet uit als geheim agenten. Ik bestelde een dubbele espresso, ik moest toch wakker worden, en stapte de telefooncabine binnen.

Maia nam meteen op, dodelijk ongerust, maar ik zei dat ze niets moest zeggen en alleen moest luisteren.

'Let op en vraag niets. Gooi wat spullen in een tas voor

een paar dagen Orta en stap in de auto. In de straat achter de mijne, de Via Quarto dei Mille, ik weet niet precies op welk nummer, moet ergens een poort zijn, min of meer ter hoogte van mijn huis. Misschien is die open want hij komt geloof ik uit op een binnenplaats waar een of andere opslag is. Misschien kun je erdoor, en anders moet je buiten wachten. Zet je horloge gelijk met het mijne, je zou er in een kwartier moeten kunnen zijn, laten we afspreken dat we elkaar daar over exact één uur treffen. Als de poort dicht is, zal ik op straat op je staan te wachten, maar wees punctueel want ik wil niet lang buiten hoeven staan. Alsjeblieft, stel geen vragen. Pak de tas, stap in de auto, bereken goed wanneer je moet vertrekken en kom hierheen. Straks zal ik je alles vertellen. Je zult waarschijnlijk niet door iemand worden gevolgd, maar kijk hoe dan ook goed in je achteruitkijkspiegeltje en als je het idee hebt dat er toch iemand achter je aanzit, volg dan je intuïtie, rij desnoods eindeloos om, schud je achtervolger af, zolang je nog op de Navigli bent is dat lastig, maar daarna heb je mogelijkheden zat om plotseling af te slaan, en misschien kun je op het nippertje door rood rijden zodat de ander moeten stoppen. Ik reken op je, liefje.'

Maia had zo een gewapende roofovervaller kunnen worden, want ze had de opdracht tot in de puntjes uitgevoerd, precies op het afgesproken tijdstip reed ze de poort binnen, gespannen maar tevreden.

Ik stapte in, zei haar wat de snelste weg was naar het eind van de Viale Certosa, daarvandaan wist ze zelf hoe ze op de snelweg naar Novara moest komen, en de route naar Orta kende ze beter dan ik.

Ik zweeg bijna de hele rit. Toen we bij het huis waren aangekomen zei ik dat ze, als ze eenmaal alles wist wat ik haar zou kunnen vertellen, gevaar zou lopen. Wilde ze me niet liever vertrouwen en er onkundig van blijven? Het idee, geen sprake van: 'Sorry,' zei ze, 'ik weet nog niet voor wie of wat je bang bent, maar óf niemand weet dat we samen zijn en dan loop ik geen gevaar, óf ze komen het te weten en dan zullen ze ervan overtuigd zijn dat ik inmiddels ook op de hoogte ben. Voor de draad ermee, hoe kan ik anders hetzelfde denken als jij?'

Onverschrokken. Ik moest haar alles vertellen, want was ze inmiddels niet vlees van mijn vlees, zoals het Boek wil?

XVIII

Donderdag 11 juni

De afgelopen dagen heb ik me verschanst in huis en durfde ik niet naar buiten. 'Toe zeg,' zei Maia, 'niemand kent je hier, voor wie je ook bang bent, ze weten niet dat je hier bent...'

'Dat doet er niet toe,' zei ik, 'je weet maar nooit.'

Maia begon voor me te zorgen alsof ik ziek was, gaf me tranquillizers, streelde mijn nek als ik uit het raam naar het meer zat te kijken.

Zondagochtend was Maia meteen de kranten gaan kopen. De moord op Braggadocio stond niet al te opvallend onder het plaatselijke nieuws: moord op een journalist, wellicht deed hij naspeuringen in het prostitutiecircuit en is hij afgestraft door een souteneur.

Het leek erop dat ze die veronderstelling onderschreven, in lijn met iets wat ik had gezegd, en wellicht ook op indicatie van Simei. Het was duidelijk dat ze niet meer dachten aan ons redacteuren, en ze hadden ook niet gemerkt dat

Simei en ik waren verdwenen. Bovendien, als ze naar de redactie waren teruggegaan, hadden ze die leeg aangetroffen, en die inspecteur had niet eens onze adressen genoteerd. Maigret zou zich in zijn graf omdraaien... Maar ik geloof niet dat wij hem wat konden schelen. De dader zoeken binnen de prostitutie was het makkelijkst, een routinezaak. Natuurlijk had Constanza kunnen zeggen dat híj zich met die dames had beziggehouden, maar waarschijnlijk was ook hij tot de slotsom gekomen dat Braggadocio's dood op een of andere manier met dat milieu te maken had, en was hij ook voor zijn leven gaan vrezen. En dus deed hij er het zwijgen toe.

De dag daarna was Braggadocio uit de nieuwsrubrieken verdwenen. De politie had waarschijnlijk te veel van dergelijke zaken en de dode was maar een vierderangs journalist. *Round up the usual suspects*, en dat was dat.

Bij zonsondergang keek ik met een donkere blik naar het donker wordende meer. Het eiland San Giulio, dat overdag lag te stralen in de zon, rees op uit het water als het dodeneiland van Böcklin.

Ten slotte vond Maia het tijd om me eens een flinke schop onder mijn kont te geven: we gingen wandelen op de Sacro Monte. Ik kende het daar niet, maar er bevindt zich een hele rij kapellen, hoog op een heuvel, waar je mystieke diorama's kunt bewonderen, vol veelkleurige beelden op ware grootte en lachende engelen, maar bovenal scènes uit het leven van de Heilige Franciscus. Maar ja, in een moeder die een lijdend kind kuste zag ik de slachtoffers van een of andere aanslag in het verleden, een plechtige bijeenkomst met een paus, wat kardinalen en enkele duistere kapucijnen hield ik voor een geheime vergadering van de bank van het Vaticaan waarin werd besproken hoe ze me te pakken konden krijgen, en al die kleuren en vrome terracottabeelden volstonden niet om me aan het Koninkrijk der Hemelen te doen denken: alles leek een listig verhulde allegorie van in de schaduwen complotterende duistere krachten. Ik begon zelfs te fantaseren dat die figuren 's nachts skeletten werden (wat is het roze lichaam van een engel immers anders dan een leugenachtig omhulsel waaronder een skelet schuilgaat, ook al is het hemels?) en meededen aan de dodendans in de San Bernardino alle Ossa-kerk.

Ik had werkelijk niet gedacht dat ik zo'n angsthaas was en ik schaamde me ervoor dat Maia me zo zag (zul je zien, dacht ik, nou dumpt zij me ook nog), maar ik zag aldoor het beeld van Braggadocio in de Via Bagnera voor me.

Bij tijd en wijlen hoopte ik dat Boggia, de seriemoordenaar van honderd jaar terug, zich via een plotse scheur in de ruimtetijd (hoe zei Vonnegut dat? Een chronosynclastisch infundibulum) 's nachts in de Via Bagnera had gematerialiseerd en zich van die indringer had ontdaan. Maar dan nog was dat geen verklaring voor het telefoontje naar Vimercate, zoals ik betoogde tegen Maia toen ze suggereerde dat het misschien wel een ordinair misdrijf was; je zag toch in één oogopslag dat Braggadocio een smeerlap was, moge hij rusten in vrede, en misschien had hij wel geprobeerd een van die vrouwen voor zich te laten tippelen en was het gewoon de wraak van de pooier van dienst, een uitgemaakte zaak van het type *de minimis non curat praetor*. 'Ja,' zei ik, 'maar een pooier belt niet naar een uitgever om te zorgen dat een krant zijn deuren sluit!'

'Maar wie zegt nou dat Vimercate echt is gebeld? Misschien had hij gewoon spijt van die hele onderneming die hem bakken met geld kostte en heeft hij de moord op een van zijn redacteuren, zodra hij daarvan hoorde, aangegrepen als excuus om de *Morgen* op te doeken en twee maanden salaris uit te betalen in plaats van een jaar... Of wat ook kan: je hebt me verteld dat hij de *Morgen* heeft opgezet met de bedoeling dat iemand zou zeggen hou ermee op en ik laat je toe tot het financiële en het politieke wereldje. Stel nou dat dat wereldje door zo'n figuur als Lucidi in kennis wordt gesteld van het feit dat de *Morgen* op het punt staat een compromitterend artikel te publiceren, dan bellen die mensen uit dat wereldje naar Vimercate en zeggen oké, weg met die flutkrant en je bent lid van de club. Vervolgens wordt Braggadocio vermoord, geheel los daarvan, wellicht door een of andere gek, en het probleem van het telefoontje naar Vimercate is opgelost.'

'Maar dan zit ik nog wel steeds met die gek. Want hoe het ook zij, wie is er dan 's nachts bij mij binnen geweest?'

'Dat is iets wat jij me hebt verteld. Hoe kun je er nou zeker van zijn dat er iemand bij je binnen is geweest?'

'Wie heeft de kraan dan dichtgedraaid?'

'Luister nou 'ns even. Heb je geen werkster die bij je komt schoonmaken?'

'Eén keer in de week maar.'

'En wanneer is ze voor het laatst geweest?'

'Ze komt altijd vrijdagmiddag. Dat was trouwens de dag dat we hoorden over Braggadocio.'

'Kijk aan! Misschien heeft zíj het water wel afgesloten, omdat zij ook gek werd van die druppelende douche.'

'Maar ik heb die vrijdagavond nog een glas water gedronken toen ik een slaappil innam...'

'Het is vast hooguit een half glas geweest, dat was genoeg. Als het water wordt afgesloten blijft er altijd nog wat in de leiding zitten en je hebt je gewoon niet gerealiseerd dat dat het laatste restje water was. Heb je nog meer water gedronken die avond?'

'Nee, ik heb niet eens gegeten, ik heb alleen een halve fles whisky soldaat gemaakt.'

'Zie je wel? Ik zeg niet dat je paranoïde bent, maar doordat Braggadocio was vermoord en door wat Simei tegen je had gezegd, dacht je meteen dat er 's nachts iemand bij je binnen was geweest. Maar het was gewoon de werkster, 's middags.'

'Braggadocio is anders wel vermoord!'

'Dat was misschien om iets heel anders. En dus is het heel goed mogelijk dat niemand in jou geïnteresseerd is.'

De vier dagen daarna bekeken we alles nog eens van alle kanten, opperden en verwierpen hypothesen, ik steeds somberder, Maia aldoor een en al hulpvaardigheid; ze ging onvermoeibaar naar het dorp op en neer om me van nieuwe voorraden en flessen whisky te voorzien, waarvan ik er inmiddels al drie op had. We vreeën tweemaal, ik vol woede, alsof ik me moest afreageren, en ik was niet in staat er genot aan te beleven. En toch voelde ik dat ik steeds meer van dat wezen ging houden, van dat tengere schepseltje dat was veranderd in een trouwe wolvin, bereid om iedereen naar de strot te vliegen die me kwaad wilde doen.

Totdat we vanavond de tv aanzetten en per ongeluk in een programma vielen van presentator Corrado Augias: een Engelse productie die nog maar net door de BBC was uitgezonden, *Operation Gladio*.

We zaten aan de buis gekluisterd.

Het leek wel een film waarvoor Braggadocio het script had geschreven: alles waarover hij had gespeculeerd zat erin, en meer, maar de tekst werd geïllustreerd met beelden en documenten, en er kwamen ook beroemde mensen aan het woord. De film begon met de wandaden van de Belgische stay-behind, daarna werd onthuld dat verschillende van onze ministers-presidenten in kennis waren gesteld van het bestaan van Gladio, maar alleen degenen die door de CIA werden vertrouwd – Moro en Fanfani waren er bijvoorbeeld buiten gehouden – en verschenen er schermbreed verklaringen van meesterspionnen, als '*Deception is a state of mind and the mind of the state*'. In het programma (dat tweeënhalf uur duurde) kwam om de haverklap Vinciguerra in beeld die van alles onthulde, zelfs dat de geheime diensten van de geallieerden Borghese en de mannen van zijn Decima Mas nog vóór het einde van de oorlog een verklaring hadden laten ondertekenen dat ze in de toekomst zouden meewerken aan het verzet tegen een Sovjetinvasie, en verschillende getuigen verklaarden allemaal onbevangen dat het logisch was dat je voor een operatie als Gladio bij voorkeur ex-fascisten rekruteerde – en ook zag je dat de Amerikaanse geheime diensten in Duitsland zelfs een beul als Klaus Barbie straffeloosheid garandeerden.

Meerdere malen werd Licio Gelli ten tonele gevoerd die doodleuk verklaarde dat hij had samengewerkt met de geallieerde geheime diensten, terwijl Vinciguerra hem juist tot rechtgeaard fascist bestempelde; Gelli had het over zijn ondernemingen, zijn contacten en zijn bronnen, zonder zich erom te bekommeren dat het klip-en-klaar was dat hij altijd dubbelspel had gespeeld.

Cossiga vertelde hoe hem in 1948, als militante katholieke jongere, een stengun en granaten ter hand waren gesteld, zodat hij meteen in actie kon komen als de communistische partij de verkiezingsuitslag niet zou accepteren. Daarna verscheen Vinciguerra weer in beeld die doodgemoedereerd uiteenzette dat de strategie van heel extreemrechts erop gericht was geweest de spanning op te voeren om het grote publiek psychologisch voor te bereiden op het afkondigen van de noodtoestand, en die onverbloemd verklaarde dat de ultrarechtse Ordine Nuovo en Avanguardia Nazionale samenwerkten met kopstukken van de diverse ministeries. Senatoren van de parlementaire enquêtecommissie zeiden met zo veel woorden dat de geheime diensten en de politie na elke aanslag een rookgordijn optrokken om de gerechtelijke onderzoeken te dwarsbomen. Vinciguerra verklaarde dat achter Piazza Fontana niet alleen de neofascisten Freda en Ventura zaten, die door iedereen werden beschouwd als de bedenkers van de aanslag, maar dat de hele operatie van bovenaf was bestierd door het vertrouwensbureau van het ministerie van Binnenlandse Zaken. En vervolgens werd er uitgeweid over de manieren waarop de Ordine Nuovo en de Avanguardia Nazionale waren geïnfiltreerd in linkse groeperingen om die aan te zetten tot terroristische aanslagen. Kolonel Oswald Lee Winter van de CIA bevestigde dat de Rode Brigades niet alleen waren geïnfiltreerd, maar ook bevelen aannamen van generaal Santovito van de Italiaanse militaire inlichtingen- en veiligheidsdienst SISMI.

In een verbijsterend interview vroeg Franceschini, een van de oprichters van de Rode Brigades die als een van de eersten was opgepakt, zich geschokt af of hij, die te goeder trouw had gehandeld, niet voor andermans karretje was gespannen. En Vinciguerra beweerde dat de Avanguardia Nazionale belast werd met het verspreiden van promaoïstische pamfletten om angst te zaaien voor mogelijke pro-China-acties.

Een van de commandanten van Gladio, generaal Inzerilli, verklaarde zonder enige aarzeling dat hun wapendepots zich naast de kazernes van de carabinieri bevonden en dat mannen van Gladio daar konden ophalen wat ze nodig hadden, op vertoon van (het leek wel iets uit een feuilleton) de helft van een duizendlirebiljet. Er werd natuurlijk afgesloten met de zaak-Moro en met het feit dat er in de Via Fani op het moment van de ontvoering agenten van de geheime dienst waren gesignaleerd, van wie eentje zich rechtvaardigde door te zeggen dat hij daar was omdat hij door een vriend voor de lunch was uitgenodigd, al was het niet erg duidelijk waarom hij dan al om negen uur 's ochtends naar die afspraak op weg was.

Het voormalig hoofd van de CIA, Colby, ontkende natuurlijk alles, maar andere CIA-agenten hadden het openlijk over documenten waarin tot in detail de salarissen stonden vermeld die de organisatie uitbetaalde aan mensen die betrokken waren bij alle bloedbaden in Italië, bijvoorbeeld vijfduizend dollar per maand aan generaal Miceli.

Zoals tijdens het tv-programma werd gezegd was het wellicht allemaal indirect bewijsmateriaal op grond waarvan niemand kon worden veroordeeld, maar het volstond om de publieke opinie te ontregelen.

Maia en ik waren met stomheid geslagen. De onthullingen overtroffen Braggadocio's meest wilde fantasieën. 'Hij heeft je natuurlijk zelf ook verteld dat al die dingen allemaal allang bekend waren,' zei Maia, 'maar dat ze uit het collectieve geheugen waren gewist. Het volstond om de archieven en hemerotheken in te duiken en de stukjes van de puzzel in elkaar te passen. Als student, maar ook later, toen ik me al bezighield met intieme vriendschappen, las ik vanzelfsprekend de krant, wat dacht je, ik heb er natuurlijk ook het een en ander over gehoord, maar ik vergat het ook weer, alsof elke nieuwe onthulling de vorige uitwiste. Het hoefde allemaal alleen maar weer te worden opgediept, dat heeft Braggadocio gedaan en dat heeft de BBC gedaan. Dan mixen, en je hebt twee perfecte cocktails, en je weet niet meer welke het authentiekst is.'

'Ja, maar Braggadocio heeft er waarschijnlijk ook eigen dingen aan toegevoegd, zoals het verhaal van Mussolini, of de moord op Johannes Paulus I.'

'Oké, hij was een fantast en zag overal complotten, maar in essentie gaat het over hetzelfde.'

'Mijn god,' zei ik, 'realiseer je je dat Braggadocio een paar dagen geleden door iemand is vermoord uit vrees dat dit allemaal naar buiten zou komen en dat het nu, door deze uitzending, miljoenen mensen ter ore komt?'

'Liefje,' zei Maia, 'dat is precies waarom jij je gelukkig mag prijzen. Stel dat er iemand, of dat nu die mysterieuze "zij" zijn of gewoon een gek, echt bang was dat de mensen zich die dingen weer zouden herinneren, of dat er een minder belangrijk feit aan het licht zou komen dat ook wij die naar de uitzending hebben gekeken niet hebben opgemerkt maar dat een groep of één enkel individu alsnog in de problemen zou kunnen brengen... Nou, na deze uitzending zullen "zij", noch die gek er nog enig belang bij hebben om Simei of jou naar de andere wereld te helpen. Als jullie tweeën morgen met het verhaal dat Braggadocio jullie heeft verteld naar de kranten zouden stappen, zouden ze jullie aanzien voor een stel idioten die komen vertellen wat ze net op tv hebben gezien.'

'Maar misschien is iemand wel bang dat we iets vertellen wat de BBC heeft verzwegen. Over Mussolini of Johannes Paulus I.'

'Oké. Stel je voor dat jij dat verhaal over Mussolini gaat rondvertellen. Zoals Braggadocio het opdiste was het al vrij ver gezocht, geen enkel bewijs en alleen overspannen vermoedens. Ze zullen tegen je zeggen dat je een paniekvogel bent die door de uitzending van de BBC over de rooie is gegaan en daardoor zijn eigen fantasieën de vrije loop heeft gelaten. En daarmee speel je ze gewoon in de kaart: kijk, zullen ze zeggen, van nu af aan zal iedere onruststoker weer wat nieuws verzinnen. En doordat er steeds nieuwe onthullingen naar buiten komen zal het vermoeden rijzen dat ook de onthullingen van de BBC slechts de vrucht zijn van journalistieke speculatie, of van verstandsverbijstering, zoals die complottheorieën van mensen die beweren dat de Amerikanen helemaal niet op de maan zijn geland of dat het Pentagon er alles aan doet het bestaan van ufo's voor ons verborgen te houden. Deze uitzending maakt elke volgende onthulling volkomen overbodig en belachelijk, want je weet, kom, hoe heette dat Franse boek toch?, *La réalité dépasse la fiction*, en iets beters dan dit valt er eenvoudigweg niet te verzinnen.'

'Dus volgens jou ben ik vrij.'

'Zeker, wie zei ook weer: de waarheid zal u bevrijden? Deze waarheid zal elke nieuwe onthulling een leugen doen lijken. In wezen heeft de BBC die "zij" van jou een grote dienst bewezen. Vanaf morgen kun je overal rondbazuinen dat de paus kinderen keelt en ze daarna opeet of dat Moeder Teresa de bom in de Italicus heeft gelegd, en dan zullen de mensen zeggen "O, ja? Tjee", en zich vervolgens omdraaien en doorgaan met waar ze mee bezig waren. Ik durf er mijn hoofd om te verwedden dat er morgen helemaal niets over de uitzending in de kranten zal staan. We worden nergens meer warm of koud van in dit land. We zijn getuige geweest van de barbaarse invasies, de plundering van Rome, de slachtingen bij Senigallia, de zeshonderdduizend doden in de Eerste Wereldoorlog en de hel van de Tweede Wereldoorlog, dus wat zijn dan een paar honderd mensen die er wel veertig jaar over hebben gedaan om allemaal opgeblazen te worden? Ontspoorde geheime diensten? Een lachertje vergeleken bij de Borgia's. Wij zijn altijd een volk van dolken en vergif geweest. We zijn ertegen ingeënt: wat ze ons ook vertellen, we zeggen altijd dat we wel erger hebben meegemaakt, en misschien is het allemáál wel niet echt gebeurd. Als de Verenigde Staten, de geheime diensten van half Europa, onze regering en de kranten ons hebben voorgelogen, waarom zou de BBC dan niet ook kunnen liegen? De enige vraag die de brave burger zich stelt is hoe hij de belasting kan ontduiken, en verder moeten zij die het voor het zeggen hebben maar doen wat ze niet laten kunnen, het is toch een corrupt zooitje. En zo is het maar net. Je ziet dat ik aan twee maanden met Simei genoeg heb gehad om het ook achter de ellebogen te krijgen.'

'En wat doen we nu?'

'Ten eerste moet jij kalmeren, daarna ga ik morgen rustig de cheque van Vimercate cashen, en ga jij opnemen wat je op de bank hebt staan, áls je er wat op hebt staan...'

'Sinds april doe ik al zuinig aan, dus ik heb bijna het equivalent van twee maandsalarissen, ongeveer tien miljoen lire, plus de twaalf van Simei. Ik ben rijk.'

'Geweldig, ik heb ook wat opzijgezet, we nemen alles op en gaan ervandoor.'

'Ervandoor? We zeiden toch net dat we zonder angst de straat op kunnen?'

'Ja, maar heb jij nog zin om in dit land te wonen, waar de dingen blijven gaan zoals ze altijd zijn gegaan, waar je als je in een pizzeria zit bang bent dat je buurman een spion is van de geheime dienst, of op het punt staat de nieuwe Falcone te vermoorden door bijvoorbeeld een bom tot ontploffing te brengen als jij net langs loopt?'

'Maar waar moeten we dan heen? Je hebt gezien en gehoord dat overal in Europa hetzelfde gebeurt, van Zweden tot Portugal. Wil je soms naar Turkije, naar de Grijze Wolven of, als ze je toelaten, naar Amerika waar ze hun presidenten vermoorden en de maffia wellicht in de CIA is geïnfiltreerd? Het is één grote ellende op de wereld, liefje. We zitten in een sneltrein zonder tussenstops. Ik zou wel willen uitstappen, maar ze hebben me gezegd dat dat niet kan.'

'Schat, we zoeken een land uit waar geen geheimen zijn en waar alles open en bloot gebeurt. In Midden- en Zuid-Amerika zijn er een hele hoop. Niets gaat er stiekem, je weet wie bij welk drugskartel hoort, wie de revolutionaire bendes leidt, je gaat in een restaurant zitten, er komen een paar vrienden langs die je aan iemand voorstellen en erbij vertellen dat hij de boss van de wapensmokkel is, piekfijne man, gladgeschoren en geparfumeerd, met zo'n wit gesteven overhemd dat over zijn broek hangt, obers flemen *señor* hier en *señor* daar, en de chef van de Guardia Civil komt hem zijn respect betuigen. Dat zijn landen zonder geheimen, alles gebeurt er open en bloot, de politie beweert bij verordening corrupt te zijn, de regering en de onderwereld vallen bij grondwettelijk voorschrift samen, de banken houden het hoofd boven water door vuil geld wit te wassen en wee als je geen geld van dubieuze oorsprong inbrengt, dan nemen ze je je verblijfsvergunning af, ze vermoorden elkaar, maar alleen onderling en laten de toeristen met rust. We zouden bij een krant of een uitgeverij kunnen werken, ik heb er wat vrienden zitten bij roddelbladen – een leuke en eerlijke manier om je geld te verdienen, nu ik er nog eens over nadenk, je verkoopt onzin maar iedereen weet het en beleeft er plezier aan, en de mensen van wie je het doopceel licht, hebben dat de dag ervoor zelf ook al gedaan op tv. Spaans leer je in een week, en hopla, zo hebben we ons eiland in de Stille Zuidzee gevonden, Tusitala van me.'

In mijn eentje kom ik nooit ergens toe, maar als een ander me de bal toespeelt kan ik soms scoren. Feit is dat Maia nog naïef is terwijl ik in de loop der jaren verstandig ben geworden. Als je weet dat je een loser bent, dan put je troost uit de gedachte dat iedereen om je heen verslagen is, ook zij die hebben gewonnen.

En dus wijs ik Maia terecht.

'Liefje, je houdt er geen rekening mee dat Italië zo langzamerhand net zo wordt als die droomlanden waar je jezelf naartoe wilt verbannen. Dat we erin geslaagd zijn alle dingen die de BBC ons heeft verteld eerst te accepteren en vervolgens weer te vergeten, betekent dat we het steeds gewoner vinden dat we ons niet meer schamen. Heb je niet gezien hoe alle ondervraagden vanavond doodleuk zaten te vertellen dat ze dit of dat hadden gedaan en er bijna een medaille voor verwachtten? Geen barokke clair-obscurs meer, dat was iets van de Contrareformatie, het gesjacher zal open en bloot geschieden, zoals de impressionisten het zouden schilderen: geautoriseerde corruptie, maffiosi officieel in het parlement, de belastingontduiker in de regering en in de gevangenis alleen Albanese kippendieven. Beschaafde mensen zullen op schurken blijven stemmen omdat ze de BBC niet geloven, of ze zien programma's als die van vanavond niet omdat ze aan het scherm gekluisterd naar nog grotere troep zitten te kijken; misschien wordt Vimercates teleshopping straks wel op primetime uitgezonden, en krijgt de eerste de beste bigshot die vermoord wordt een staatsbegrafenis. We houden ons gewoon afzijdig: ik ga weer uit het Duits vertalen en jij gaat terug naar je blad voor in de kapsalon en de wachtkamer van de tandarts. En verder, 's avonds een leuke film, de weekends hier in Orta – en iedereen kan de pest krijgen. We hoeven alleen maar te wachten: als ons land eenmaal definitief tot de derde wereld behoort, zal het hier buitengewoon leefbaar zijn, net als in het land van het meisje van Ipanema, lang en bruin en jong en lieflijk.'

Feit is dat Maia me mijn rust en mijn zelfvertrouwen heeft teruggegeven, of op zijn minst een kalm wantrouwen ten aanzien van de wereld om me heen. Het leven is draaglijk, het volstaat er vrede mee te hebben. Morgen (zoals Scarlett O'Hara zei – weer een verwijzing, ik weet het, maar ik zie er verder vanaf in de eerste persoon te spreken en laat alleen anderen aan het woord) begint er weer een nieuwe dag.

Het eiland San Giulio zal opnieuw schitteren in de zon.